Hechizos, Rituales, Conjuros
y
Demás Recetas Mágicas
2

Hechizos, Rituales, Conjuros y Demás Recetas Mágicas 2

Marius Zimernat Yosta

Primera edición: octubre 2021
Hechizos, Rituales, Conjuros y Demás Recetas Mágicas 2

ISBN-13: 978-84-09-34124-5
Safe Creative: 2110099485881
ISNI: 0000 0004 9156 8303

Diseño portada: Kobra17
Maquetación: Kobra17
Impreso bajo demanda: Amazon KDP
www.kobra17.com
info@kobra17.com

Impreso en España /Printed in Spain

A ti, que tienes esto en tus manos.

Índice

Recetas

Guía de Ingredientes

Varios

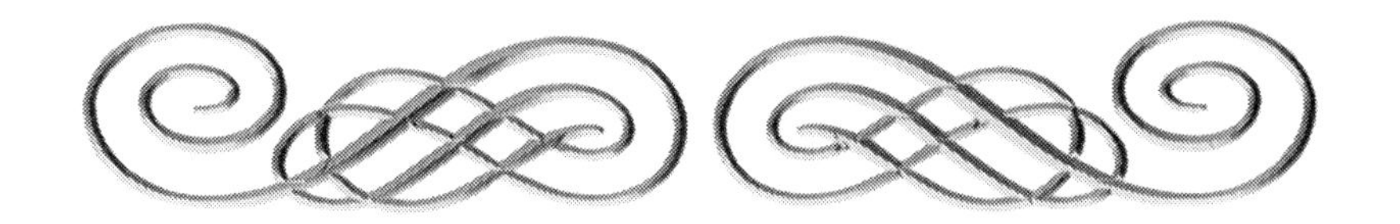

Introducción

Hola, querido lector; mi nombre es Marius Zimernat Yosta, nombre que espero te resulte conocido gracias a la lectura del primer libro de esta serie, pero si no es así, espero que lo recuerdes a partir de ahora, gracias a lectura de este que tienes en tu poder. Como es lógico deseo que te guste y que te propongas enriquecer tu biblioteca con el primer libro de esta colección.

Como en el primero de la serie voy a escribir como creo que el tema y el lector lo merece, y es desde la cercanía y como amigo, por tanto voy a darte consejos y con tu permiso, a tratarte de tú.

La presente introducción es y debes ser muy similar a la del primer libro de la serie, ya que no es un libro independiente sino una continuación. Dicho lo cual paso al tema importante.

En tus manos el Segundo libro donde he plasmado algunos de, como bien cuenta el título, hechizos, rituales, conjuros, amuletos, talismanes, oraciones, recetas mágicas, etc., recopilados durante bastante tiempo, que deseaba compartir contigo, y que no me cabían en el primer libro. En este volumen van incluidas otras 50 recetas y una guía de ingredientes usados en ellas. Dado que este tema en algunos momentos puede ser peligroso, a continuación de esta pequeña introducción te enumeraré algunos consejos y normas de precaución a seguir.

No soy mago ni brujo ni cosas similares, lo contenido en este libro y en posibles sucesivos son "recetas" recopiladas de diversas fuentes en mi afán de aprendizaje sobre este tema, y algunas, incluso comprobadas por mi mismo. Esta recopilación no esta subordinada a ninguna creencia ni religión, ya que está compuesta por recetas de todos los lugares y gentes. Muchas de ellas han pasado de generación en generación contadas por los ancianos…

Estos hechizos funcionan, pero la magia (energía) solo funciona si realmente crees en ti y en los poderes que te ayudaran a que resulte como deseas. Ten fe en el hechizo. Se trata de tu voluntad y determinación combinadas con fe.
Recuerda que nada es infalible y lo que leas aquí en este libro no va a funcionar sin hacer nada y sin tu participación.

Debes comprender el principio básico del arte de la magia. La magia trata sobre manipulación de la energía. Todo es energía, incluidos nosotros y nuestros pensamientos, así que asegúrate de que tus pensamientos sean claros y enfocados directamente a lo que estás tratando de hacer.

Siempre existe la posibilidad de que el hechizo falle. Solo debes interpretar el motivo por el que ha fallado y si realmente tenías fe en el resultado y tus intenciones eran reales. Sin duda puedes repetirlo.
Si solo lo haces por diversión olvídalo, no funcionará. El lanzamiento de hechizos, conjuros, etc. no es cuestión de risa, ni un juego, es un asunto muy serio y debe tratarse como tal.

Asegúrate de leer y comprender el significado del hechizo que quieras realizar. Libera tu mente de todos los pensamientos, excepto de tu meta final, visualiza el resultado y deja que tu energía recién creada fluya y alcance el objetivo...

¡Mágicamente!

Como tampoco he podido incluir todo en este libro, que sirva como aviso… **¡Nos vemos en el próximo!**

Precauciones y Consejos

- Nunca empieces un hechizo sin las herramientas y/o materiales necesarios.
- Nunca, nunca utilices para el ritual ingredientes o materiales que no sean exactamente los que se indique en el mismo, ya que usar cosas "parecidas" o el "esto sirve igual" puede hacer que se obtengan resultados inesperados.
- Nunca debes profanar ni burlarte de ninguna religión, al igual que no debes degradar objetos sagrados de ninguna religión.
- No hagas nunca el ritual sin concentrarte bien en él o como una broma, podría volverse contra ti con sus correspondientes efectos negativos.
- En los hechizos que sea necesario hacer fuego o existan llamas, debes tomar
  "***TODAS LAS PRECAUCIONES***"
  hazlo en el exterior o en interior ventilado y con todas las seguridades posibles
- Asegurate que comienzas el hechizo cuando se indica, (durante la Luna llena, amanecer, etc.).
- Para encender las velas deberás usar cerillas de madera o en caso contrario corres el riesgo que el resultado no sea efectivo.
- Cuando debas apagar la llama de una vela, hazlo con un apagador o con las yemas de los dedos húmedas.

- No puedes comenzar un hechizo o ritual y finalizarlo más tarde. Debes cumplir con los tiempos indicados para que funcionen correctamente.
- Los rituales casi siempre deben efectuarse en completa soledad, para que la influencia de otras personas no afecte al ritual. Salvo que sea de absoluta confianza o se indique lo contrario en el mismo hechizo.
- No seas impaciente, como ocurre con todos los hechizos y cosas místicas, debes dejar que pase tiempo para que el hechizo surta efecto.
- El número **tres** tiene un significado mágico y especial, por lo que realizar un hechizo tres veces puede tener un efecto exponencial.
- **Importante** ser agradecidos, si llegas con el objetivo o el deseo conseguido es que el ritual ha cumplido su función y debes agradecerlo a quien lo hayas pedido; diosa, ángel, amuleto, imagen, o cualquiera deidad de tu religión.

Si no conoces todos los ingredientes, materiales y herramientas, al final del libro encontraras una pequeña guía sobre la mayoría de los que necesitaras en este libro, y que sean menos conocidos.

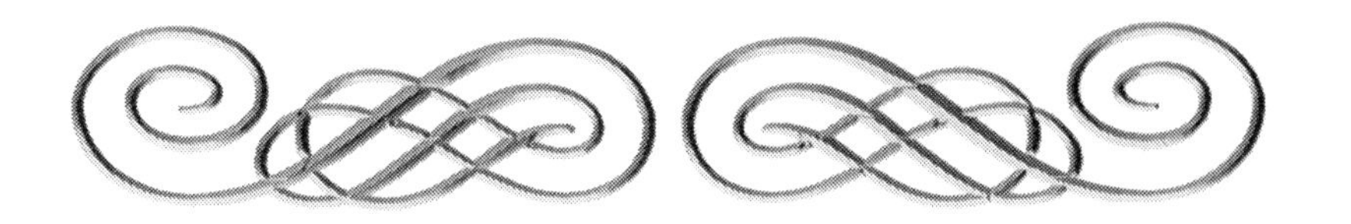

Recetas

Hechizo para Atraer a la persona elegida

Este hechizo de atracción se debe realizar durante la luna creciente, al igual que otros hechizos de atracción funcionan cuando la luna se hace más grande. Este ritual sirve para atraer a cierta persona específica a tu vida. Asegúrate de que esa persona sea la persona que deseas de verdad, ya que el hechizo es muy poderoso.

Materiales necesarios:

- Cuenco de agua de mar
- Espejo pequeño
- Vela de color violeta
- Hoja de papel con el nombre del destinatario
- Saco pequeño de tela natural
- Plato pequeño

Reúne los materiales, prepara tu mente y realiza este ritual la medianoche del primer miércoles siguiente a la luna nueva.

A medida que nuestra bella luna crezca en los Cielos, el efecto de la atracción se hará más fuerte en el corazón de tu destinatario.

Limpia tu mente de todos los pensamientos, excepto de este hechizo y de la persona a la que quieres lanzar el hechizo. Coloca el recipiente con agua sobre una mesa frente a ti. Enciende la vela violeta y colócala delante del recipiente con agua. Coloca el papel con el nombre de tu futuro amor escrito cerca del recipiente de agua. Deja que el cuenco, la vela y el agua reposen en los puntos de un triángulo imaginario.

Sostén el espejo delante de la vela para que puedas ver el reflejo de la llama. A su vez, haz lo mismo con el agua del cuenco. Por último, acerca el espejo a tu cara y mírate a los ojos. Concentre tu energía en tus atributos positivos; tu belleza, tu inteligencia, las razones por las que una persona debería estar contigo. Permítete alcanzar un enfoque similar a un trance y luego coloca el espejo hacia atrás y mira el reflejo de la llama mientras comienzas a recitar el siguiente hechizo:

> *"En el poder y la gracia de la Diosa afirmo mi belleza y deseo.*
> *En el fuego del aire a mi alrededor afirmo mi deseo por ti".*

En este punto, debes coger la vela y hacer que las llamas quemen el papel con el nombre del destinatario escrito en él, y recoger las cenizas en el plato pequeño, ya que son de gran importancia. Continúa recitando:

> *"En el agua del mar me purifico y te lanzo el poder de atracción y asociación".*

Introduce las yemas de los dedos en el recipiente con agua de mar y toca suavemente tu frente, tus labios y tu corazón, limpiando tu

cuerpo y mente para permitir que el poder fluya libremente a través y fuera de ti.
Sigue recitando:

"En consonancia con el bien común, confieso mi disposición para el amor y el compañerismo.
Que las energías del universo fluyan y el poder atraiga mi amor deseado al refugio de mi corazón".

Permítete un largo momento de contemplación, reflexiona sobre el poder y el significado del hechizo y siente la energía que fluye a través de ti.
Apaga suavemente la vela y permanece feliz y concentrado mientras el humo de la vela se esparce y se dispersa al igual que la energía del hechizo.

Es de gran importancia que ahora recojas las cenizas y las guardes en el saco de tela. El saco debe ser pequeño, de solo unos centímetros de alto y ancho, y asegúrate de que sea de materiales naturales. Si es de algodón servirá perfectamente.

Este amuleto ahora está muy cargado con la energía de tu deseo y debes llevarlo contigo, cerca de tu cuerpo durante todas las horas del día. Por la noche debe colocarlo debajo de tu almohada o cerca de tu cuerpo.

Como ocurre con todos los hechizos y cosas místicas, debes dejar que pase tiempo para que el hechizo surta efecto. Si no se obtienen resultados en dos fases lunares completas es posible que debas volver a realizar el hechizo. Recuerda que, para un aumento en el poder del hechizo, es posible realizar el mismo ritual tres noches seguidas. Al multiplicarse su fuerza, el efecto que se obtiene puede llegar a ser asombroso.

Hechizo Atraer el Amor con Semillas de Manzana

Anhelas el amor, pero tarda y deseas que sea el correcto y llegue cuanto antes. Lanza un hechizo que atraerá un gran amor a tu vida.

Materiales necesarios:

- Una semilla de manzana
- Pizca de Romero
- Vela de color blanco
- Plato pequeño con un poco de agua de río

Realiza este ritual después de la puesta del sol, el domingo por la noche, después de la Luna Nueva, justo cuando está creciendo y ganando brillo.

Elige un lugar tranquilo y un momento en el que no seas molestado.
Acomoda el plato con un poco de agua de río enfrente tuyo. Espolvorea el romero en el agua del río y deja que se filtre e impregne su aroma en el líquido.

La vela debe ser pequeña y corta para que se consuma con bastante rapidez. Incluso con solo un par de centímetros de alto es suficiente. Coloca la vela en el centro del agua del plato. El agua debe cubrir el fondo del plato, pero debe ser lo suficientemente poco profunda para que cuando la vela se apague también apague la llama.

Aclara tu mente y permítete concentrarte solo en el hechizo y el efecto deseado. Cuanto más puedas intensificar los pensamientos, más fuerte será la magia. Coloca el plato de agua con romero donde has colocado la vela frente a ti y enciende la vela.

Sostén la semilla de la manzana en tu puño y siente el calor de tu mano fluyendo hacia la pequeña semilla portadora de vida y recita:

"Arcángel Chamuel, yo te invoco para que me concedas este deseo de amor y compañerismo en la vida. Te pido amor verdadero y eterno.
Que la llama, el aroma del romero y el agua del río acerquen desde lejos tu poder y concedan el deseo de mi corazón".

Toma la semilla de manzana y colócala en el plato con agua del río.
Vuelve a recitar:

"Arcángel Chamuel, yo te invoco para que me concedas este deseo de amor y compañerismo en la vida. Te pido amor verdadero y eterno.

Que la llama, el aroma del romero y el agua del río acerquen desde lejos tu poder y concedan el deseo de mi corazón".

Sumerge los dedos en el agua del río y tócate suavemente la frente, la boca y el corazón con las yemas de los dedos, limpiándote con el poder del agua que fluye del río.
Recita:

"Arcángel Chamuel, yo te invoco para que me concedas este deseo de amor y compañerismo en la vida. Te pido amor verdadero y eterno.
Que la llama, el aroma del romero y el agua del río acerquen desde lejos tu poder y concedan el deseo de mi corazón".

Permite que la vela arda sin ser molestada hasta que finalmente, por sí sola, se vaya apagando por el agua del río.

Coloca este plato en el alféizar de una ventana u otra área donde la luna creciente pueda reflejar su luz sobre el agua cada noche hasta que el agua se haya evaporado por completo del recipiente por si sola.

Durante el proceso de evaporación del agua el hechizo comenzará a funcionar y se irá haciendo más fuerte, atrayendo romance y amor hacia ti y tu hogar.

En este punto, la semilla de manzana se ha convertido en un poderoso talismán muy cargado por el hechizo y debes llevarlo contigo, cerca de tu cuerpo, en todo momento, tanto de día como de noche.
La semilla de manzana actuará como un faro que atraerá a la persona adecuada a tu vida.

Para mantener fiel a un amante

Materiales necesarios para realizar este "hechizo para mantener fiel a un amante":

- Hierba de Regaliz
- Pétalos Magnolia
- Hojas de Artemisa
- Pétalos de Caléndula
- Romero
- Comino
- Bolsa/Saquito de fibras naturales con cordón

Realizar este hechizo durante una noche de Luna Nueva.

Todos los ingredientes, excepto los pétalos de magnolia, deben secarse y molerse. Combínalos en cantidades iguales y mézclalos bien en tu cáliz. Mientras mezclas las hierbas, pétalos y otros ingredientes, repite el siguiente cántico tres veces...

"Mientras la Luna Nueva crece y su brillante luz permanece,
Diosa, te invoco, mantén muy firme mi amor".

Forra la bolsa con hojas de Magnolia y rellénala con el resultado de la mezcla. Finaliza la bolsa con más pétalos de Magnolia rodeando la mezcla de hierbas.

Coloca la bolsa debajo de la cama de tu amante y se mantendrá fiel.

Este hechizo debe realizarse cada Luna Nueva después de anochecer y debe reemplazarse la bolsa para mantener la fuerza y la fidelidad.

Frasco de Bruja de Sangre y Fuego (hechizo de amor)

Los hechizos de los frascos de bruja son extremadamente efectivos y los de sangre y fuego muy poderosos. Este es un hechizo asombroso del cual muchas personas han comentado que puede hacer maravillas.

Ingredientes para realizar este hechizo:

- Frasco pequeño
- Agua de manantial
- Vela roja (¡de pasión!)
- Un Mechón de **tu** propio cabello
- Un Mechón de **su** cabello (solo si es posible)
- Una gota de tu sangre
- Una Ramita de Vainilla Natural
- Jacinto
- Jugo de limón (de un limón recién exprimido)
- Aceite de Bendición

Este poderoso hechizo de amor se debe realizar en la oscuridad de una noche de luna nueva, entre el atardecer y la medianoche.

Unge la vela, el frasco y los demás ingredientes, cada uno con una gota de Aceite de Bendición mientras recitas…

"Diosa, bendice estos ingredientes y límpialos de energía negativa. Bendice este ritual con la energía y la buena voluntad del universe".

Enciende la vela roja y centra tu energía en la llama. Concéntrate intensamente en tu sueño de amor y en cómo será esa persona, o en la persona específica a la que va dirigido el hechizo. En tu mente, debes visualizaros a los dos ya juntos, disfrutando de la vida y el amor como uno solo.

Comienza a agregar los elementos al frasco pequeño uno por uno, cantando lo siguiente todo el tiempo...

"Diosa Venus, tal como estos elementos se unen, tráeme mi verdadero amor a su debido tiempo,
Te ruego que guíes, dirijas y que traigas rápidamente a mi verdadero amor hasta aquí".

Este cántico se debe recitar a medida que se añade cada elemento al frasco.

IMPORTANTE agregar los elementos en este orden:

- Primero el agua de manantial...
- Luego agrega el jacinto...
- Seguidamente el mechón de tu cabello...
- Después el de su cabello, si pudiste conseguirlo…
- Ahora la pequeña ramita de vainilla...
- Y finalmente una gota de tu propia sangre.

NOTAS

- Hace que el hechizo sea más poderoso si también puedes agregar su cabello, algún objeto, prenda o retal que sea de su posesión. Pero no te preocupes, incluso sin esto, es una poderosa invocación la que estás realizando con este hechizo.
- La sangre puede ser una gota tomada justo antes del hechizo e impregnada en un pequeño trozo de tela de fibra natural. Debe estar bastante fresca, pero se puede preparar justo antes del ritual y agregar el paño al frasco.

Después de agregar todos los elementos al frasco pequeño, continúa concentrándote en el objetivo del hechizo, luego apaga la vela, corta la parte superior de la vela con la mecha y agrégala también al frasco.

Ahora se debe sellar el frasco y no volverse a abrir.

Deja el frasco apoyado en la ventana bajo la Luna Nueva todas las noches hasta que la luna alcance su etapa más llena y brillante en unas pocas semanas. En este punto, el frasco debe enterrarse en tierra cerca de tu casa, o si vives en un piso o apartamento en la tierra de una maceta o tiesto.

Este poderoso hechizo irradia energía hacia afuera durante al menos una docena de ciclos lunares y traerá el amor que deseas y mereces a tu vida…

Vela de Obsesión Hipnótica (hechizo de amor)

Para realizar este hechizo solamente necesitarás disponer de una **Vela Negra** y un ambiente propicio para la concentración.

Este poderoso hechizo se puede preparar y realizar fácilmente y hace maravillas, pero cuidado, asegúrate de que tu deseo sea realmente el amor obsesivo de esa persona.

El hechizo hará que esa persona piense constantemente en ti, sea dedicada, atenta y amorosa. A veces puede ser demasiado.

Varias personas han tenido que lanzar hechizos para disminuir el resultado de este hechizo o incluso para desterrar a estas personas que se han vuelto repentinamente demasiado amorosas.

Enciende la vela negra y concéntrate como nunca lo has hecho en el objetivo. Crea una escena en tu mente donde esa persona ya esté a tu lado, postrada a tus pies y completamente enamorada.

Mira fijamente la llama de la vela y repite una y otra vez con una enorme pasión...

"La vela negra humea como la vela negra arde, el humo sale de esta casa y mi verdadero amor regresa".

Realiza este ritual todas las noches con pasión mientras puedas mantener la concentración. Para cuando la vela se haya marchitado a la nada, esa persona te estará proporcionando todas sus atenciones.

Terminar una Relación (Desata el Nudo)

No se requieren hierbas ni herramientas; este hechizo funciona únicamente con el poder de tu mente.

Visualiza con fuerza un bosque densamente arbolado. En lo profundo de la oscuridad entre los árboles, y bajo una luna llena brillante, ahí encuentras a la persona con la que deseas terminar una relación.

Mira la escena con toda tu fuerza, observa que la esa persona tiene una cuerda blanca pesada atada alrededor de su cintura. ¡El otro extremo está atado alrededor de tu cintura de la misma manera!

En este punto, llama a la Diosa con este canto...

"Una vez nos encontramos unidos,
Atado por amor, atado por entendimiento.
Ahora elijo caminar por un camino diferente.
Ahora elijo deshacerme de los lazos de nuestra unión.
Ahora elijo separar nuestras vidas.
Aunque agridulce sea nuestra despedida,
Deja que mi corazón y mi alma sean libres".

Mírate con fuerza y siéntete desatando la cuerda, visualiza soltando los nudos, siente la cuerda cayendo al suelo, y mírate claramente alejándote, solo, buscando tu propio camino a través del bosque…

Oración de Protección

Esta invocación, plegaria mágica, podemos utilizarla para las situaciones en las que se requiere de una protección contra el mal. Actúa como un escudo contra las malas energías, y por tanto logra que las buenas permanezcan y aumenten y sus efectos se hacen sentir unos días después de recitarla...

Al igual que el resto de oraciones, o invocaciones debes recitarla en un ambiente cómodo y acogedor, concentrarte en el resultado que deseas y meditar sobre lo que estás recitando.

Después de todo esto puede esperar tranquilamente sabiendo que lo bueno vendrá a tu vida.

Por el Poder Único
Que trabaja para mí y por medio de mí,
Estoy protegido por la Divinidad y perfectamente seguro.

Mis seres queridos están protegidos por la Divinidad
Y perfectamente seguros,
de acuerdo con la Libre Voluntad y
por el bien de todas las cosas,
en todo momento y en todo lugar.

Por este acto libero
TODA CAUSA, MANIFESTACIÓN, FORMA Y ESENCIA
de cualquier energía y de cualquier influencia negativa.
Libero concretamente toda causa, efecto, manifestación,
Forma o esencia que tenga relación especial con (síntoma).

Todo esto, tanto si se ha nombrado como si no,
SE DISUELVE, SE LIBERA Y SE TRANSFORMA EN ALGO BUENO
Para mi vida y para las vidas de los que amo.
Soy Libre. Somos Libres.
Agradezco porque así Es.

¡Y siéntete Protegido!

Corregir el Comportamiento de tu Pareja

Elementos necesarios para realizar el hechizo para corregir el comportamiento de tu pareja:

- Una Vela Blanca
- Agua de manantial
- Un Plato
- Arena
- Un objeto o algo de la persona

Si alguien está cometiendo errores... diciendo mentiras, haciendo trampas, perdiendo interés, siendo cruel, este hechizo puede ayudarle a ver el error de sus acciones o pensamientos.
¡Ten cuidado y asegúrate de que realmente esa persona esté equivocada y no se trate simplemente de un problema de control por tu parte, ya que esto podría causar consecuencias muy negativas!

Puede ayudar si tienes algo de la persona a la que estás lanzando el hechizo, quizás un mechón de cabello. Si es así, colócalo en el plato y mientras realizas el ritual lo vas enterrando en la arena. Si esto no es posible, puedes realizar el hechizo sin el objeto.

Dedica unos momentos a concentrarte y visualizar a la persona y las acciones aberrantes que quieres modificar.

Vierte la arena desde su recipiente al plato mientras dices...

"Arenas del norte, yaciendo bajo el suelo oscuro, tres veces tres, déjalos ver, déjalos ver".

En este punto enciende la vela y colócala en la arena mientras recitas…

"Fuegos del Sur, despertando del sueño, tres veces tres, déjalos libres, déjalos libres".

Luego vierte un poco de agua de manantial alrededor de la base de la vela, humedeciendo la arena…

"Aguas del Este, fluyendo rápido hacia el mar, tres veces tres, déjalos ver, déjalos ver".

Ahora apaga suavemente la vela mientras repites...

"Vientos del Oeste, soplando fuerte a través de los árboles, tres veces tres, déjalos libres, déjalos libres".

Puede haber cambios inmediatos. Si no, ¡repite el hechizo todos los días hasta que cambie el comportamiento!

Amuleto de Amor de cuarzo rosa

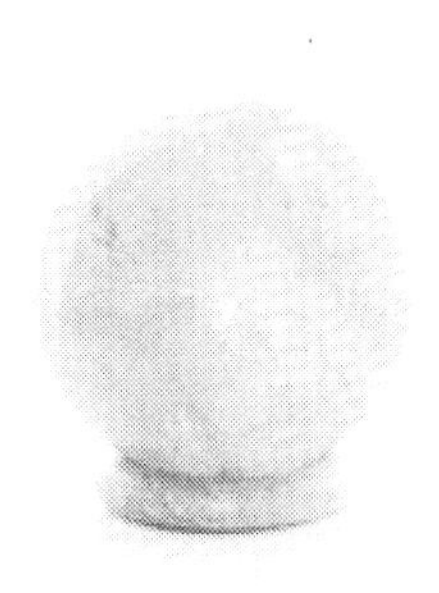

Este es un hermoso y simple hechizo para realizar un amuleto de amor con cuarzo rosa, y los materiales necesarios para realizarlo son estos:

- Un cuarzo rosa
- Pétalos de rosa
- Plato de plata o plateado

Coloca el cuarzo en el plato plateado y cúbrelo con pétalos de rosa. Déjalo reposar a la luz creciente de una Luna Nueva llenándose durante siete noches.

Cada una de las noches recita tres veces sobre el cuarzo...

"Madre Luna llena de luz, bendice esta piedra cada noche.
Cuando pases sobre mí, derrama suerte y dicha en el amor".

Después de siete días, mientras los pétalos se marchitan, puedes recoger el cuarzo y llevarlo encima para que tengas suerte en asuntos relacionados con el amor.

Puedes hacerte un colgante, anillo, pulsera, llavero, etc., y llevarlo siempre contigo.

¡Mucha suerte y felices amores!

Hechizo para alejar la tristeza

Todos en algún momento hemos pasado por situaciones en las que la tristeza se apodera de nosotros, pero lo más recomendable en esas circunstancias consiste en que tomemos las riendas de nuestra vida y alejemos la tristeza para que las vibraciones positivas nos acompañen en todo momento y las cosas vayan por buen curso, así que sigamos este hechizo para alejar la tristeza.

Para alejar la tristeza con el hechizo vamos a requerir de:

- Un recipiente grande.
- Una vela consagrada de color amarillo.
- Hebras de lana de un color claro.
- Aceite contra el abatimiento (de Lavanda, Hierba de San Juan o flores de Bach).
- Un trozo de tela blanca.
- Vino tinto.

Para iniciar, será necesario que el recipiente lo llenemos con agua de lluvia, por lo que debemos esperar a que el clima nos favorezca, acto seguido pasaremos a ubicarlo en una zona muy oscura, donde lo iluminaremos con la vela amarilla. Así vamos a pasar a tomar un cuchillo y sobre el agua escribiremos el nombre de ese sentimiento que nos aflige y buscamos expulsar de nuestra vida, para tomar el rollo de lana mojarlo con el aceite y luego en el vino tinto; finalmente tomamos todo el rollo de lana húmedo y lo exprimimos gota a gota sobre el recipiente con el agua mientras recitamos:

"*La oscuridad será claridad, lo duro será blando y lo amargo se volverá dulce gracias al poder de esta hoja de cuchillo y al poder del agua*"

Dejaremos el rollo de lana dentro del recipiente con agua. Al día siguiente lo sacamos del recipiente, lo escurrimos y lo ponemos sobre la tela blanca para que se seque. Después de esto tendremos que hacer una bolsita con ese rollo de lana y la tela blanca, ubicándola en el armario de la ropa por un mes para que el hechizo para alejar la tristeza surta efecto.

Hechizo para Soñar con tu futuro Amor

Este pequeño y poderoso ritual te permitirá soñar con tu amor futuro.

Como realmente es pequeño solo es necesario un ingrediente:

- Tres almendras

Las almendras representan amor, fidelidad y fertilidad. Cuando desees conocer tu futuro amor, simplemente coloca tres almendras debajo de tu almohada.

Esfuérzate por no influir en tus sueños pensando en alguna persona específica. Eso es contraproducente.

Solo aclara tu mente y recita una y otra vez mientras te duermes...

"Amor, verdad, fidelidad, muéstrame quién será mi amor".

Esa noche soñarás con tu amor del futuro…

Corazón de Fuego para devolver un Amor perdido

Tu amante se ha ido, o incluso te ha dejado por otro amor.

El poderoso hechizo Corazón de Fuego creará pensamientos obsesivos en su mente y grietas en su felicidad. ¡Podrás Recuperarlo de nuevo!

Vamos a necesitar los siguientes elementos:

- Madera de Mesquite
- Una vela blanca
- Vinca
- Valeriana
- Hojas de higuera
- Bolsa pequeña de cáñamo o arpillera
- Arcilla con Forma de corazón

Prepara un pequeño corazón de arcilla húmeda. Esta arcilla debe ser, si es posible, arcilla de la ribera de un río o similar, aunque si no puedes conseguirla puedes comprar en la tienda también.

Debes evitar las arcillas a base de plástico, ya que debe ser arcilla natural, arcilla que se secará y endurecerá. Dale forma a la arcilla con un diseño de corazón justo antes de realizar el ritual.

Dado que el mezquite debe quemarse como un fuego rugiente, este hechizo se realiza mejor al aire libre o en una chimenea. Sé inteligente y seguro.

Prepara los artículos cerca de ti y enciende el fuego de mezquite, permitiendo que se vaya quemando mientras recitas...

"Madera en llamas, corazón en llamas,
Escucha Diosa el deseo de mi corazón".

Ahora mezcla las plantas en tu cuenco de hierbas o cáliz, unos 25/30 gramos más o menos de cada una, y deben quedar muy bien mezcladas. A medida que el fuego crezca en fuerza arroja la mitad de la mezcla de hierbas a las llamas mientras entonas apasionadamente...

"El fuego quema y la vida muere, como el amor en un abrir y cerrar de ojos.
¡Su amor se romperá, su amor se desvanecerá y su triste destino estará hecho!"

Ahora forra el fondo de la bolsa de cáñamo con hierbas, coloca el corazón de arcilla húmeda dentro y trata de rodear totalmente la figura de arcilla con el material vegetal. Todo el tiempo, por supuesto, te enfocarás y visualizarás el final de su relación y el florecimiento de la tuya. Coloca la bolsa pequeña, ahora cerrada, cerca de las llamas y deja que el calor infunda energía en la bolsa mientras continúas la concentración cantando todo el tiempo...

"El fuego chamusca la hierba, el fuego sella la arcilla, el fuego calienta nuestros destinos y al acabar el día el fuego romperá su amor tan fácil como la arcilla seca,

¡Trae a mi amor a casa, a casa para quedarse conmigo!"

Permanece en meditación mientras el fuego arde, dejando que se apague naturalmente. Ahora debes llevarte el corazón a casa, pero No abras la bolsa. Ahora es cuando debes colocar la bolsa con corazón al calor del sol durante siete días, secándose y absorbiendo el poder de las hierbas.

Cada noche enciende una vela blanca y medita sobre tu futuro con él, cantando...

"El fuego chamusca la hierba, el fuego sella la arcilla, el fuego calienta nuestros destinos y al acabar el día el fuego romperá su amor tan fácil como la arcilla seca,
¡Trae a mi amor a casa, a casa para quedarse conmigo!"

Al final de la semana debes sacar el corazón de la bolsa. Si está húmedo, deja que se seque más.
Cuando esté seco, debes destruir el corazón, aplastándolo hasta convertirlo en polvo junto con las hierbas.
Debes recoger este polvo resultante y extenderlo en porciones iguales en cada una de las cuatro esquinas de tu casa o edificio. Esto irradiará energía positiva a tu deseo de regresar y creará un gran obstáculo en caso de que la otra persona que se acerque a tu hogar.

Amuleto de Dinero de los Nueve Nudos

¡Crea atracción de riqueza con este amuleto de dinero y resuelve tus problemas financieros "complicados" rápidamente!

- Necesitaremos un cordón verde de unos 30 centímetros

Mientras atas los nueve nudos en el cordón verde, recita lo siguiente…

"En el nudo uno, mi hechizo ha comenzado
En el nudo dos, trabajo fructífero para hacer
En el nudo tres, el dinero viene a mí
En el nudo cuatro, la oportunidad llama a mi Puerta
En el nudo cinco, mi negocio prospera
En el nudo seis, este hechizo lo consigue
En el nudo siete, el éxito está asegurado
En el nudo ocho, la prosperidad es grande
En el nudo nueve, estas cosas son para mí"

¡Lleva contigo este pequeño amuleto en todo momento!

Puedes convertirlo en una pulsera, colgante o cualquier cosa o solo colocarlo en tu bolsillo, bolso o billetera.

¡No le hagas más nudos!

Funciona mejor si te lo quitas varias veces al día y mientras lo sostienes vuelves a repetir el texto anterior en voz baja.

Hechizo con Imán para una Ganancia Económica

Si te encuentras en una situación financiera desesperada y necesitas una suma de dinero, este hechizo funciona muy bien y puede solucionar tu problema.

¡También es muy eficaz para aumentar tus posibilidades de obtener una gran ganancia inesperada, como ganar un sorteo o la lotería!

Materiales:

- Vela Verde
- Un Imán (puede ser pequeño)
- Hojas de laurel
- Papel

Enciende la vela y mira fijamente la llama. Concéntrate y visualiza la cantidad exacta de dinero que necesitas que llegue a tu vida.

¡Siente la situación financiera resuelta y la sensación de seguridad que os brindará a ti y a tu familia!

Ahora coloca la piedra de imán al pie de la vela. Escribe en el papel la cantidad de dinero que necesitas. Deja caer unas gotas de cera sobre el papel. Cubre el papel con varias hojas de laurel, presionándolas contra la cera.
Deja que la cera gotee sobre las hojas de laurel hasta que puedas colocar la vela sobre la cera caliente y permanezca de pie.
Por seguridad realiza todo esto sobre un plato.

Una vez hayas completado todo esto, vuelve a colocar la piedra de imán en la base de la vela.

Recita lo siguiente sobre la luz de las velas varias veces...

> *" Que la falta que siento sea desterrada por la luz,*
> *Que el oro fluya libremente de regreso a mi vida.*
> *Atraigo lo que necesito como esta piedra de la Tierra.*
> *Buena voluntad y una valiosa bolsa reposarán en mi hogar.*
> *Que la luz y el amor me rodeen y protejan en todos mis esfuerzos.*
> *Como yo quiero...*
> *Así sea..."*

Continúa enfocándote en la necesidad y el deseo económico tanto tiempo como puedas. Luego, deja que la vela se consuma por completo. Por la mañana entierra todos los restos tal cual hayan quedado en algún lugar de tu propiedad.

Interpretar Los Pies

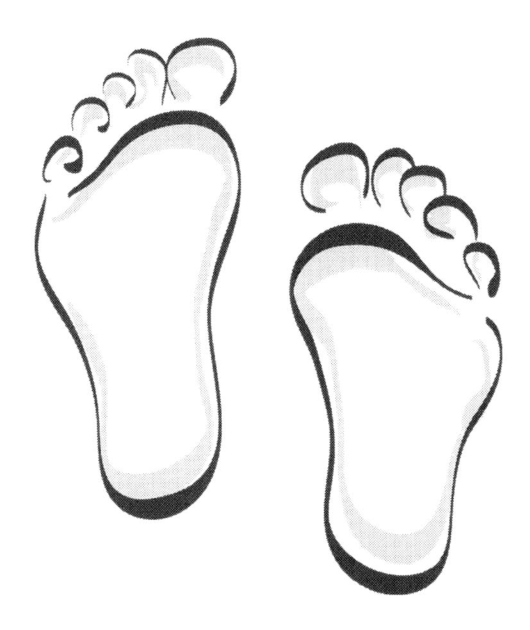

Personalidad, habilidades e inquietudes con los pies de las personas

Aunque en ocasiones los desestimemos, **los pies nos ayudan a conocer cómo es una persona**, pues conociendo ciertos elementos vamos a poder descifrar ciertas facetas de la personalidad y del modo de actuar tanto nuestro como de los otros, además de las inquietudes y de las preocupaciones que puedan estar rondando por la cabeza. En ese sentido, algunos de los parámetros a considerar corresponden a por ejemplo la forma de los dedos, el dolor que se pueda causar o la separación de los dedos, etc.

En caso de que el dedo pulgar sea muy largo significa que la persona es muy extrovertida y se goza de buena autoestima, además en caso de que el segundo dedo se encuentre un tanto separado del pulgar denota una falta de capacidad para expresar las emociones, lo que no ocurre en caso de que el segundo dedo no esté tan separado del pulgar.

Si el segundo dedo del pie está torcido y se encuentra en el pie izquierdo simboliza la impaciencia de la persona, mientras que si el dedo está recto sin importar el pie es muestra de seguridad.

En caso de que el tercer dedo sea el más grande de todos y se encuentre en el pie izquierdo denota la creatividad, además todas las durezas de ese dedo son muestras de la insatisfacción con las relaciones de pareja.

Si el dedo anular es recto en cualquiera de los pies simboliza el equilibrio emocional en la persona, en caso contrario una falta de independencia de la persona.

Finalmente, el dedo meñique al ser el más pequeño debe ser interpretado con relación a los otros dedos, por lo que si no se deja ver o notar respecto a los demás es una muestra de la timidez de la persona, en caso contrario es un reflejo de la seguridad de la persona.

Con estos simples pasos ya podremos iniciar la **interpretación de la personalidad, inquietudes y habilidades por medio de los pies** de las personas.

Receta de Aceite de Bendición

Esta receta es un poco más trabajosa de realizar que algunas, pero produce un poderoso y aromático aceite para bendiciones que puede sernos necesario para realizar algunos de los hechizos de este u otros libros.

Ingredientes:

- 1 cucharadita de lavanda
- ½ cucharadita de romero
- 1 cucharadita de hierba de San Juan
- 2 gotas de aceite de bayas de enebro
- 2 gotas de aceite de rosa
- 2 gotas de abeto balsámico
- 3 gotas de aceite de vetiver
- ¼ de taza de aceite como base
- Un frasco vistoso para su guardado

Elige tu "aceite" preferido para la base de este aceite... oliva, girasol, cártamo, aceite mineral, cualquiera de ellas funcionará.

Muele las hierbas completamente lo máximo que te sea posible y agrégalas junto con los diversos aceites esenciales a la base.

¡Listo!

Guarda el aceite de bendición en un frasco herméticamente cerrado en un lugar oscuro cuando no lo estés usando.

Tarro de Bruja de Buena Suerte

Ingredientes:

- Trébol
- Anís estrellado
- Tomillo
- Incienso
- Sándalo
- Muérdago
- Mirra
- Escaramujos

Llena un frasco pequeño hasta la mitad con esta fragante receta de hierbas y cosas así. Los ingredientes deben mezclarse en proporciones aproximadamente iguales.

Recita lo siguiente sobre la mezcla...

Diosa escucha mi súplica,
Diosa escúchame orar,

Diosa llévame a salvo a través de otro día,
Haz que los malos vientos soplen para otro sitio,
Diosa envíame bien todos los días.
Así sea...

El tarro de la bruja de la buena suerte debe mantenerse en el alféizar de una ventana donde pueda absorber la luz del sol y la luz de la luna a medida que pasan los días.
Cada mañana debes recoger el frasco antes de comenzar tu día y recitar el encantamiento anterior.

Luego, agita el frasco varias veces para mezclar el material, besa el frasco antes de volver a colocarlo y después comienza el día con la seguridad de que la suerte te acompaña.

Hechizo Semana de la Suerte

Para realizar este hechizo que nos obsequiara con una semana de buena suerte, necesitaremos lo siguiente:

- Vela Negra
- Cuenco pequeño y poco profundo con agua de río
- Pequeño pedazo de papel

Visualiza tu necesidad de cambio y la buena suerte necesaria en tu vida mientras te concentras en el agua.
Escribe en el papel lo que necesitas y en lo que la buena suerte te ayudaría... nuevo trabajo, un interés amoroso, juego, necesidad de dinero...

Coloca el papel plano sobre la superficie del agua. A medida que el papel se moje, coloca la vela sobre el papel, que empuje el papel hasta el fondo y deja la vela en pie sobre el papel sumergido.

Enciende la vela.

Ahora concéntrate en la llama y tu necesidad de suerte con **mucha fuerza** mientras recitas...

> *"Llama ligera, llama brillante, quema todos mis males esta noche.*
> *Como la llama se extingue, esta semana la buena suerte permanece".*

Deja que la vela se queme con seguridad hasta que el agua la extinga. Ahora debes enterrar la vela y el papel cerca de las orillas del río de donde se extrajo el agua.

¡Y a comenzar tu semana de buena suerte!

.

Ritual Magnético de Fertilidad

Se dice que uno debe tener cuidado al lanzar hechizos que involucren a niños. Los niños nacidos bajo el hechizo de la magia a menudo tienen un control magistral de las artes mágicas y se convierten ellos mismos en poderosos practicantes. A menudo usan sus poderes para destruir a su creador usando los mismos medios mágicos.

Por esta razón, este breve, pero poderoso ritual se enfoca fuertemente en los aspectos positivos de la influencia de la Diosa. Necesitaremos:

- Nueve velas blancas (representan un ciclo completo)
- Piedra imán (roca magnética natural) o hematita magnética
- Aceite para bendecir

Realiza este ritual para facilitar el camino y dejar fluir las energías que permiten a una mujer terminar con la condición de esterilidad.

Si tiene dificultades para concebir, este hechizo puede hacer maravillas.

Unge y bendice las nueve velas con el aceite y recita...

> *"Bendice esta vela y límpiala de energía negativa.*
> *Bendice la llama y su energía con la buena voluntad del universo".*

Realiza este ritual al anochecer, mejor durante la luna nueva cuando el cielo está lo más oscuro posible. Cuando tenga éxito, el bebe crecerá con al igual que la luna creciente.

Organiza las nueve velas en un círculo alrededor de la que espera convertirse en madre. Debería estar sentada en el suelo, con ropa holgada de fibras naturales, y mirando al Este por donde sale el sol cada mañana.

Todos los pasos siguientes los debe realizar la futura madre.
La mujer esperanzada debe sujetar la piedra imán en su mano con fuerza para sentir el calor que irradia la piedra.
Las velas se encienden una a una hasta completar el círculo.
Después de encender cada vela, se pronuncia en voz alta el siguiente canto.

> *"Te ruego Diosa, escucha mi súplica,*
> *Cumple mi deseo, cumple mi necesidad,*
> *Trae nueva vida a este útero,*
> *Deja que un niño adorne mi hogar,*
> *Así se hará, así será, sin daño vuelve a mí"".*

Después de la serie de nueve velas encendidas y nueve cánticos, la futura madre permanecerá en el círculo de luz por unos momentos. Debe ser un momento para reflexionar y concentrarse en el deseo que tiene. Debe permitir que la energía del hechizo y la Diosa la atraviesen y se acumulen en la piedra imán en sus manos.

Después de un período de meditación, debe apagar la vela directamente frente a ella, la que mira hacia el este.
Luego debe moverse en círculo a la derecha en el sentido de las agujas del reloj, apagando cada una de las velas.
Mientras apaga cada vela, debe susurrarse a sí misma la afirmación...

"Así lo haré, sin daño vuelve a mí".

Después de que las velas se apaguen, debe permanecer en el círculo hasta que el humo se desvanezca, asegurándose de haber reunido la mayor cantidad de energía posible del ritual.

En las próximas horas, días, semanas, debe tener la piedra de imán como su compañera constante, ya que es un amuleto cargado con poder y lleno de magia que permitirá que el hechizo haga su magia.

Para aumentar el poder del hechizo, realiza este ritual durante dos noches más. Siempre, los hechizos lanzados de en tres veces tienen un gran aumento de poder.

Recuerde bendecirse con aceite antes del hechizo para mayor protección, y siempre concéntrese en la parte del cántico que dice *"sin daño vuelve a mí"*.
Esto agrega mucha protección a cualquier problema futuro de un niño con los mismos grandes poderes.

Ritual de Fertilidad (para tener Niño)

Si lo que se desea es un bebé de sexo masculino, el ritual se realiza de la misma forma que el **Ritual Magnético de Fertilidad** descrito en este mismo libro anteriormente, con algunos pequeños cambios.

Ingredientes:

- Nueve velas blancas
- Piedra imán (roca magnética natural)
- Aceite para bendecir
- Raíz de narciso
- Muérdago

Muele las raíces secas de narciso y una ramita de muérdago en proporciones iguales. Una vez que tengas un polvo fino bendícelo con este canto...

"Bendice estas hierbas y límpialas de energía negativa.
Bendice estas hierbas con la energía y la buena voluntad del universo".

Simplemente espolvorea el polvo conseguido anteriormente sobre el círculo, justo antes de realizar el ritual con normalidad.

Después del ritual, se reúnen las plantas de tierra en un pequeño saco de tela natural con la piedra imán y deben llevarse encima para que haga su trabajo.

Ritual de Fertilidad (para tener Niña)

Si lo que se desea es un bebé de sexo femenino, el ritual se realiza de la misma forma que el **Ritual Magnético de Fertilidad** descrito en este mismo libro anteriormente, y exactamente igual que **Ritual de Fertilidad para tener un niño** también descrito anteriormente, con algunos pequeños cambios de ingredientes.

Ingredientes:

- Nueve velas blancas
- Piedra imán (roca magnética natural)
- Aceite para bendecir
- Raíz de Geranio
- Hojas de Roble

Muele las raíces secas de Geranio y unas hojas de Roble en proporciones iguales. Una vez que tengas un polvo fino bendícelo con este canto...

"Bendice estas hierbas y límpialas de energía negativa.
Bendice estas hierbas con la energía y la buena voluntad del universo".

Simplemente espolvorea el polvo conseguido anteriormente sobre el círculo, justo antes de realizar el ritual con normalidad.

Después del ritual, se reúnen las plantas de tierra en un peque-ño saco de tela natural con la piedra imán y deben llevarse en-cima para que haga su trabajo.

Hechizo de Fertilidad en Pareja

Este hechizo de fertilidad en pareja es muy sencillo, pero muy efectivo.

Para realizarlo necesitaremos:

- Nueve velas blancas

El ritual debe realizarse todas las noches durante los cinco días siguientes a la ovulación y antes de realizar el acto sexual.

Puedes primero crear un ambiente propicio para la ocasión. Enciende las nueve velas en círculo y colócate con tu pareja en el centro del anillo de luz creado, podéis permanecer de pie, tumbados o sentados.

Los dos mirando hacia el norte, y recita el siguiente cántico...

"Como una mente te llamamos, como un corazón te deseamos"
Hijo de la tierra, el viento y el mar, escúchanos, te damos la bienvenida".

Acto seguido giraros hacia el Este y repite el cántico, luego al Sur, el cántico y finalmente al Oeste y el último cántico.

Visualizad vuestro éxito y el nuevo hijo.

Podéis recoger las velas y continuar con la concepción...

Círculo de Fuego (Hechizo de Protección)

Cualquier momento es un buen momento para un hechizo de protección, aunque la noche siempre es un poco más propicia en la mayoría de los hechizos.

Este ritual bendecirá tu hogar, a ti y a tu familia con protección contra los males del mundo, tanto naturales como de otro tipo.

Materiales para realizarlo:

- Ocho velas blancas
- Aceite para bendecir
- Papel pequeño
- Cuenco ignífugo

Debes ungir cada una de las ocho velas con el aceite y bendecirlas con el siguiente canto...

"Bendice esta vela y límpiala de energía negativa.
Bendice su llama y su energía con la buena voluntad del universo".

Organiza las velas sobre una mesa.

Colócalas según el siguiente patrón, una vela en cada uno de los puntos cardinales, Norte, Sur, Este y Oeste. Las otras cuatro deben colocarse en las posiciones Noreste, Noroeste, Sudeste y Sudoeste. Esto asegurará la protección desde todas las direcciones. Corta el papel en ocho piezas de tamaño similar y en cada una escribe la palabra "MALDAD". Enciende las ocho velas del círculo creado y comienza el hechizo.

Coge un trozo de papel y quémalo en la llama de la vela que está en la posición Norte, y mientras el papel arde, asegúrate de recitar…

"Como el papel en llamas arde, la maldad de mi vida se transforma".

Deja que el papel se queme completamente y que las cenizas se acumulen en el cuenco.

Repite esta misma operación recitando las mismas palabras con los otros siete trozos de papel, recogiendo las cenizas de cada una en el cuenco.

Después de quemar los ocho trozos de papel y colocar las cenizas en el recipiente, haz la siguiente invocación sobre las cenizas.

"Fuego fuerte y fuego brillante, mantenme a salvo tanto de día como de noche.
Estas cenizas esparcidas me mantendrán seguro y a salvo de maldad".

Dedica un poco tiempo a meditar sobre la paz en tu vida y luego deja que las velas se quemen solas hasta que se apaguen.

Reúne las cenizas, y con las primeras luces de la mañana extiéndelas por todos los rincones de tu hogar y en todas las direcciones de la brújula.

Este poderoso hechizo te rodeará a ti, a tu hogar y a tu familia en un círculo mágico de protección ardiente en el que al mal le será casi imposible penetrar.

Es posible que algunas personas de tu ámbito de vida se muestren reacias a entrar en tu hogar. Haz con ellas lo que quieras o creas conveniente, pero agradece el estar protegido.

Hechizo de Protección para Viajes

Al embarcarse en un viaje, es bueno lanzar este hechizo de protección para llegar al final del viaje con seguridad y toda la protección posible. También se puede lanzar este hechizo para otras personas que emprendan viaje.

Materiales:

- Vela Blanca
- Mapa que muestre la ruta
- Rotulador o Bolígrafo rojo
- Tiza blanca
- Hilo rojo

Enciende la vela y extiende el mapa desplegado ante ti.
Visualiza un viaje seguro mientras trazas la ruta (ya sea en automóvil, avión, bote o a pie) del vehículo en el mapa con el marcador rojo.

Después de completar la ruta, debes volver a marcar sobre la ruta tanto de ida como de vuelta con la tiza blanca. Deja una gran marca de tiza en la sobre la que marcaste en rojo.

Imagina y visualiza con fuerza una luz blanca protectora que rodea todo el camino y lo mantiene a salvo de daños, mientras vas recitando...

"Diosa guarda y guía este viaje, tráeme sano y salvo a casa.
Diosa, mantenme sano y salvo dondequiera que vaya".

Mientras ves en tu mente un feliz y seguro regreso del viaje, dobla el mapa que contiene la ruta de tiza.
Ata el mapa con el hilo rojo y guarda el mapa si es posible dentro de tu equipaje, o junto con él.

¡No debe abrirse hasta que se esté de vuelta y seguro en casa!

Desterrar a una Persona Dañina

¿Hay una persona específica en tu vida que te está causando daño o preocupación y deseas que se vaya?

Hay que realizar uno de los rituales vistos anteriormente, concretamente el **Hechizo de protección con Círculo de Fuego,** pero con algunos pequeños cambios.

Vamos con el ritual y los materiales para realizarlo:

- Ocho velas blancas
- Aceite para bendecir
- Papel pequeño
- Cuenco ignífugo

Debes ungir cada una de las ocho velas con el aceite y bendecirlas con el siguiente canto...

"Bendice esta vela y límpiala de energía negativa.

Bendice su llama y su energía con la buena voluntad del universo".

Organiza las velas sobre una mesa.

Colócalas según el siguiente patrón, una vela en cada uno de los puntos cardinales, Norte, Sur, Este y Oeste. Las otras cuatro deben colocarse en las posiciones Noreste, Noroeste, Sud-este y Sudoeste. Esto asegurará la protección desde todas las direcciones.
Corta el papel en ocho piezas de tamaño similar y en cada una escribe el NOMBRE de la persona a desterrar. Enciende las ocho velas del círculo creado y comienza el hechizo.

Coge un trozo de papel y quémalo en la llama de la vela que es-ta en la posición Norte, y mientras el papel arde, asegúrate de recitar…

"Como (di su nombre) en llamas arde, a mi vida no retornara".

Deja que el papel se queme completamente y que las cenizas se acumulen en el cuenco.

Repite esta misma operación recitando las mismas palabras con los otros siete trozos de papel, recogiendo las cenizas de cada una en el cuenco.

Después de quemar los ocho trozos de papel y colocar las cenizas en el recipiente, haz la siguiente invocación sobre las cenizas.

"Fuego fuerte y fuego brillante, mantenme a salvo tanto de día como de noche.
Estas cenizas esparcidas me mantendrán seguro y a salvo de (di su nombre)".

Dedica un poco tiempo a meditar sobre la paz en tu vida y como esa persona desaparece, luego deja que las velas se quemen solas hasta que se apaguen.

Reúne las cenizas, y con las primeras luces de la mañana ex-tiéndelas por todos los rincones de tu hogar y en todas las di-recciones de la brújula.

Este poderoso hechizo te rodeará a ti, a tu hogar y a tu familia en un círculo mágico de protección ardiente en el que a esa persona le será casi imposible penetrar.

Deberías ver un cambio inmediato y poderoso en el deseo de esta persona de estar cerca de ti y ver como cada vez se aleja más.

Ritual de Limpieza

Este es un ritual de limpieza para que podamos realizar nuestros hechizos, rituales, cualquier tipo de trabajo, o simplemente comenzar el día sanos y limpios

Necesitarás:

- Vela blanca
- Vela roja
- Vela verde

Las velas deben dejarse en el exterior, donde la luna pueda iluminarlas durante la noche y el rocío se asiente sobre su cera.

Reúnelas a primera hora y realiza este ritual por la mañana temprano. Enciende la vela blanca y relájate. Deja que tu cuerpo sienta pensamientos y energías negativas fluyendo desde tu cuerpo hacia fuera.

Mientras la vela arde, recita el siguiente canto...

"Diosa Tierra y Madre Noche,
Limpia este envase y llénalo de luz,
Déjame vacío para empezar de nuevo,
Fresco como el rocío de la mañana".

Repite el ritual con la vela roja y luego con la verde. Permanece unos largos minutos de contemplación relajante para que tu interior permanezca más sano y limpio.
¡Apaga las velas y comienza tu día!

Amuleto Conquistar a la Persona Amada

La fórmula original de este talismán la realizo Paracelso, y aconsejaba realizarlo durante un viernes (día de Venus), cuando Venus, unido a Júpiter entra en la constelación de Piscis.

Sostenía Paracelso, además, que el hombre que portase este talismán sería amado tiernamente por las mujeres. También contaba que si se sumergía en un líquido (Agua, zumo, vino, leche, etc.) y se ofrecía a beber a algún enemigo, se convertía al momento en el mejor de los amigos.

Para realizar este ritual necesitarás:

- 1 metro de cinta blanca
- Unas tijeras
- Un imán
- Una moneda de plata (si no tienes una moneda de plata, puedes utilizar una moneda plateada)
- Un talismán de Venus

- Bolsa de fibras naturales (algodón o similar)
- Hilo Blanco

Agarra la cinta blanca y haz siete nudos sobre ella, sin dejar de pensar ni un solo momento y con todas las fuerzas en esa persona amada.

Después coloca la tijera encima de la cinta anudada en forma de cruz o espada.
Seguidamente, coloca en el interior de la bolsa la moneda, el imán y el talismán de Venus.

Ya puedes retirar las tijeras, recoge la cinta y dando siete vueltas con ella átala a la bolsa, cerrándola después con el hilo blanco.

Guardarás la bolsa en tu dormitorio.

La cinta de la bolsa no deberá ser desatada durante los siguientes siete días y cada noche antes de dormir debes pedir a la luna que afiance la relación.

Transcurrido este período de tiempo, desata la cinta y se entierra la bolsa.

Recuerda que tu pareja deberá ignorar la existencia de este sortilegio, ya que si lo averigua o se da cuenta de ello su efecto no llegará a completarse.

Ritual de Lectura Mental (Leer la Mente y Pensamientos)

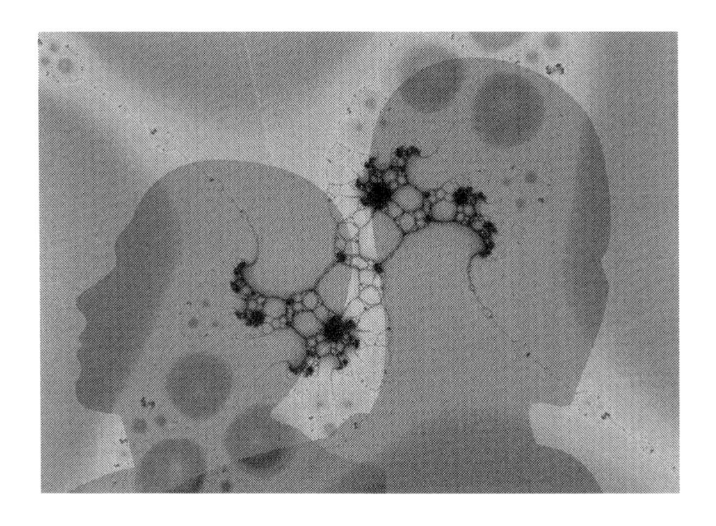

Realiza este ritual y te volverás más perspicaz e intuitivo. Sabrás cuándo se están diciendo la verdad o si lo que estás escuchando son mentiras. Realiza este ritual con regularidad, deja que la energía fluya a través de ti y tu capacidad para conocer los pensamientos se volverá asombrosa.

Materiales necesarios:

- Menta
- Artemisa
- Pétalos de rosa
- Vela Blanca
- Plato pequeño con agua de río

Deja que los tres ingredientes se sequen completamente hasta que puedas molerlos y convertirlos en polvo. Utiliza cantidades iguales de cada ingrediente.

Después de la medianoche, enciende la vela y colócala en una mesa lejos del plato con agua. Pon el polvo que has obtenido de moler las plantas en un plato cerca. Asegúrate de poder ver el reflejo de la llama de la vela en el agua. Deja que el agua y tu mente estén en calma y relajados. Ábrete a la energía del universo.

Concéntrate en el reflejo de la llama de la vela y cuando se vuelva nítido y claro, di lo siguiente...

> *"Las llamas limpian el aire, las llamas aclaran mi mente,*
> *El agua deja fluir sus pensamientos y se unen a mi mente."*

Espolvorea el polvo de las plantas en el agua. En ese momento se nublará y te concentrarás en el agua y el reflejo. Puede que tarde un poco, pero es muy importante que continúes concentrándote en el reflejo de la llama de la vela en la superficie del agua. El polvo de los vegetales alteró la superficie del agua y debes continuar mirando el reflejo hasta que se aclare y se vuelva nítido nuevamente.

Mientras miras el reflejo recita una y otra vez...

> *"Como el agua se asienta y la llama se aclara,*
> *Serán los pensamientos de todos los que están cerca".*

Cuando el reflejo vuelva a ser claro apaga suavemente la llama y di...

> *"Así sea."*

Realiza este ritual con tanta frecuencia como sea necesario y permite que tu mente se abra y agudice.

Pronto descubrirás que la gente se ha convertido en un libro abierto para ti.

Expulsar el Mal
(Del hogar y la vida)

Material:

- Una Vela Blanca

Lanza este hechizo cuando estés solo. Enciende la vela, en el suelo, dentro de un plato. Camina en círculo de Este a Norte, en sentido contrario a las agujas del reloj, recitando lo siguiente tres veces a medida que avanzas...

> "Tres veces alrededor del potente círculo,
> Todos los seres malvados se habrán ido".

Debes caminar y recitar el círculo dos veces más. En otras palabras, tres veces alrededor del círculo cantando lo anterior tres veces en cada viaje.

Realiza este ritual tres noches seguidas, importante que estés solo. Luego, también mientras estés solo, entierra la vela lejos de tu hogar.
¡Y el mal se marchará!

Control Mental (Controlar los pensamientos)

Descubrirás que este ritual agudiza la comunicación en ambas direcciones.

La mayoría de las personas no están abiertas a la comunicación y desconocemos totalmente sus pensamientos internos, pero en realidad puedes controlar sus pensamientos, poner en su mente algo o hacerles pensar y desear alguna cosa.

Siempre tienes que susurrar este cántico en voz baja varias veces antes de usar este poder...

"Mi pensamiento fluye a través del tiempo,
pronto mi pensamiento estará en su mente".

Concéntrate en tu único pensamiento de manera profunda, más profunda de lo que nunca antes te habías concentrado, y el pensamiento se transferirá a la mente del otro.

Esto puede resultar muy difícil al principio, no por la otra persona, ella será como un libro abierto, sino porque resulta muy difícil aprovechar la energía y dirigirla con precisión.

Sin embargo, como andar en bicicleta, una vez que se perfecciona esta habilidad, te servirá para toda la vida.

Ritual de Velas para Adelgazar

Un hechizo simple, pero que es muy efectivo, materiales:

- Vela Blanca
- Vela Azul
- Vela Amarilla
- Espejo de cuerpo entero
- Envase de vidrio para hacer vela
- Una Mecha para velas

Un hechizo que te resultara muy efectivo. Enciende las tres velas en el suelo (en platos o soportes) frente al espejo. Debes estar desnudo, libre de toda ropa. Atenúa las luces, concéntrate en ti mismo mirándote en el espejo y recita lo siguiente tres veces.

"Más ligero... más delgado, me veo,
Más Delgado, es como pronto estaré".

"Más ligero... más delgado, yo digo,
Permite que este peso se derrita".

Después de recitar, vierte la cera de las velas en el frasco. Coloca la mecha para crear una nueva vela a partir de la cera vieja que se vaya depositando.

Repite todos los días hasta que se terminen las tres velas.

Cuando ya tengas una vela nueva creada de las tres anteriores puedes continuar con el ritual.

Enciende la vela nueva todas las noches, enfocándote en la llama y recitando el canto anterior tres veces.

Deja que la llama permanezca durante unos minutos mientras concentras tus energías, después apaga la vela.

Continúa encendiendo la vela por las noches, pero deberías ver resultados en un corto período de tiempo.

Ritual de Aumento de Pecho

Uno los deseos más comunes de una mujer es tener los senos más grandes.

Este simple ritual permite que los poderes aumenten el tamaño del pecho de una mujer a los niveles deseados...

¡Y todo naturalmente!

Necesitaremos:

- Agua tibia de manantial
- Tierra fina y seca

Reúne la tierra en un recipiente y agrega el agua tibia de manantial hasta que se alcance una consistencia espesa moldeable. Al ir mezclando la tierra, visualiza la nueva persona que deseas.

¡Deja que tu energía positiva fluya hacia la mezcla de lodo y se cargue con toda la energía posible!

Cuando la mezcla adquiera una consistencia adecuada, esculpe lo mejor posible una forma femenina con un pecho exagerado, como muestra de tu deseo.
No dudes en ir mucho más allá de tu deseo real, ya que esto que estás haciendo es simplemente un fetiche de poder.
Además, no necesita ninguna habilidad artística, así que no te preocupes por la belleza o el estilo artístico del icono.
En pocas palabras: ¡hazla curvilínea, obviamente femenina, y bien dotada!

Ahora recita tres veces sobre esta pequeña figura...

> *"La sangre fluye y la carne crece,*
> *El crecimiento de mis senos pronto veré".*

Deja que la figura se seque durante la noche y luego guárdala en un lugar apartado de tu hogar. Un ático, fuera de la vista y seco, sería ideal, aunque siempre que puedes dejar la figura en otro hogar distinto del tuyo propio, y a ser posible, cálido, seco y poco transitado.

Hechizo Crecimiento de Cabello

Este hechizo es especial para ti, si por algún motivo tienes problemas con el crecimiento del cabello o la caída del mismo.

Aquí tienes un hechizo de los más sencillos que existen, ya que consiste simplemente en entonar un cántico para conseguir el resultado deseado.

Este cántico permitirá que el cabello crezca en cualquier lugar que desees.

Sostén la parte del cuerpo que quieres incluir en el hechizo, o frota o masajea suavemente la carne.

Este ritual es muy eficaz cuando se realiza todas las noches en el cuero cabelludo de un hombre.

Recuerda, entona este cántico todas las noches hasta que obtengas un resultado:

"Estíralo
Tuércelo
Hazlo crecer
Como un río
Déjalo fluir
Tres veces más rápido crece este cabello
Esta es mi voluntad
Así sea."

¡Suerte!

Hechizo de Belleza de la Diosa Afrodita

Para realizar el **Hechizo de Belleza** necesitaremos:

- Vela rosa
- 3 gotas de tu sangre
- Papel

Enciende la vela y permítete ver tu nuevo yo, el más hermoso que deseas ser.
Cuando alcances el enfoque y un estado positivo relajado, recita lo siguiente...

"Diosa Afrodita, escucha mi súplica,
Como la carne es débil y la mente es fuerte,
Arregla las cosas que yo veo mal,
Comparte ahora tu belleza conmigo,
Deja que mi cuerpo se parezca a ti.
Así sea."

Escribe tu nombre en la hoja de papel, luego pincha tu dedo con una aguja pequeña y deja que se acumulen tres gotas pequeñas de sangre sobre tu nombre escrito.

Dobla el papel y quémalo con la llama de la vela mientras cantas tres veces...

"Acepta esta ofrenda, escucha mi súplica,
Deja que tu belleza viva en mí".

Reúne las cenizas del papel quemado y llévalas contigo durante al menos tres días para dar continuidad a la súplica y que finalice con éxito.

¿Qué es la inteligencia emocional?

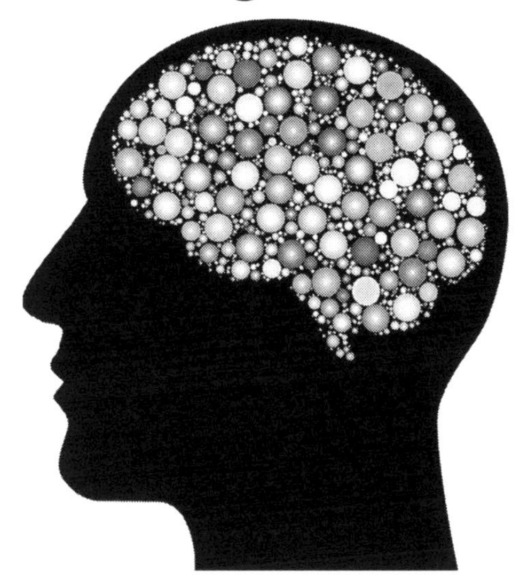

La **inteligencia emocional** es uno de esos términos que se suelen usar de una forma un tanto laxa por la mayoría de las personas, equiparando a este tipo de inteligencia con la que solemos considerar de manera habitual, siendo bastante descuidados, ya que la **inteligencia emocional** cuenta con ciertas características que la diferencian. En términos generales ese tipo de inteligencia puede ser definida como la capacidad con la que cuentan algunas personas para dar un manejo a sus emociones, para controlar las propias y al tiempo comprender las de los demás, lo que supone una gran ventaja.

Algunos de los signos a considerar para entender si poseemos esta cualidad en un estado desarrollado o no, se pueden observar por ejemplo en nuestra capacidad de ser consecuentes, de ponernos en los zapatos de los demás, en controlar los impulsos que nos pueden llegar a invadir en determinadas situaciones en las que por ejemplo el estrés o el no saber qué hacer nos ganan la pulsada. Según lo que se ve de manera habitual, la **inteligencia emocional** es difícil de lograr para la mayoría de nosotros y por ejemplo las personas que poseen un alto coeficiente intelectual les cuesta bastante llegar a un alto estado de **inteligencia emocional** pues se les hace muy complejo el entender lo que piensan y viven los otros.

En ese sentido, el **control de la inteligencia emocional** puede ser considerado como un paso más en la tarea de encontrar la felicidad, pues esa búsqueda requiere de un buen trato para con las otras personas que nos rodean, de un control de los impulsos, del entendimiento, la tolerancia y el respeto con todas las personas con las que tratemos en el día a día. Así que el interés por mejorar nuestras aptitudes en lo que se refiere a la **inteligencia emocional** debe ser grande para llevar una vida plena y cómoda.

Cántico de Sanación Druida

Cuentan que este cántico se remonta a los tiempos de los druidas y todavía se realiza con frecuencia hoy en día por tierras de todo el mundo.

Muchos ancianos lo tienen escrito en sus diarios desde años...

Y hoy lo traigo para ti.

Aunque no se sabe exactamente cuándo se debe entonar el cántico, se da por supuesto que se debe de realizar en compañía del enfermo o mientras está a nuestro cuidado, y en ambiente relajado, tranquilo y propicio.

Importante a tener en cuenta realizarlo cuando el enfermo no esté en plena crisis de dolores o sufriendo los síntomas de su enfermedad, por lo que es conveniente realizarlo cuando esté tranquilo o después de tomar su medicación.

Cántico:

> *"Invoco el poder curativo de la naturaleza para curarte,*
> *Invoco el poder curativo de la naturaleza para aliviar tu dolor,*
> *Invoco el poder curativo de la naturaleza para sanar tus huesos,*
> *Invoco el poder curativo de la naturaleza para restaurar tu vigor,*
> *Invoco el poder curativo de la naturaleza para cerrar tu herida,*
> *por el poder curativo de la naturaleza serás curado".*

Piedra del Dinero

Material necesario:

- Vela Blanca
- Una piedra (lo más cuadrada posible y ser una roca natural)
- Pintura verde (y un pincel pequeño)
- Aceite de bendición

Unge la vela y la **Piedra** y comienza con la súplica...

"Diosa, bendice esta vela y esta piedra y límpialas de energía negativa. Bendice la llama, la piedra y la energía con la buena voluntad del universo".

Enciende la vela y cárgala con energía positiva enfocándote en la llama y viendo los fondos necesarios como si ya los tienes en tu poder.

Recita tres veces...

"Como la llama de la vela es ligera y pesada es esta piedra,
Es tan verdad que los fondos necesarios entrarán en mi hogar".

A la luz de las velas, usa la pintura para escribir la cantidad necesaria en la parte superior de la piedra. A los lados, pinta símbolos de dinero (€ o cualquier símbolo o dibujo que represente dinero para ti).
Ahora gotea cera sobre la parte superior de la piedra y pega la vela a la piedra, mientras dejas que se vaya quemando.

Continúa enfocándote en la llama y recita lo anterior tres veces más.

Deja que la vela se queme de forma segura y vaya cubriendo la piedra.

Ahora, la piedra se debe colocar y permanecer en una ventana donde la luz del sol y la luz de la luna puedan fluir sobre ella en el transcurso de los próximos días.

Pronto llegará tu dinero...

Maldición "Tres Noches Infernales"

Este es un hechizo de pesadillas recuperado de un hechizo muy antiguo de origen desconocido, pero posiblemente francés.

¡MUCHO CUIDADO CON ESTE HECHIZO!

Materiales necesarios:

- Vela Negra
- Telarañas (Reunidas de rincones, garajes, áticos…)
- Heliotropo (disponible en proveedores de hierbas)
- Papel

Sería prudente pensar detenidamente el motivo por el que quieres utilizarlo.

El hechizo de pesadilla causa varias noches de sueños horribles y vívidos en una persona, sueños que presentan sus peores miedos personales.

Definitivamente deberías realizar un **Ritual de Limpieza** (receta incluida en este volumen) para ti mismo antes y después de realizarlo.

Dicho esto...
Enciende la vela negra que representa a esta persona y sus propios pensamientos oscuros.

¡Como nunca antes, debes sentirlos, visualizarlos y canalizar la energía del Universo a través de ti y hacia la llama de la vela!

Mientras la llama arde busca un estado meditativo. Escribe el nombre de la persona en el papel y cúbrelo con el heliotropo. Extiende las telarañas por el heliotropo.

Ahora, con una visión muy clara de lo que deseas, pasa a recitar...

Las telarañas de los rincones y las telarañas de la mente están aquí,
Que el sueño de (nombre aquí) sea malo, lleno de horrores y pesadillas,
Que la oscuridad y los malos pensamientos llenen su sueño nocturno,
En cada momento de descanso, que los males arrastren sus sueños.

Sueños de carne quemada, sueños donde se pierda la vida,
Visiones nocturnas de demonios y barcos arrojados al mar,
Viruela en la tierra, carne podrida en los huesos,
Enfermedad en la mente, asesinato en el hogar.

Tres noches se retorcerá, tres noches estará mal,
Tres noches pasará en los fuegos del infierno,
Tres noches de muerte y con el hedor de la bestia
Solo después de tres noches cesará el mal.

Enciende el papel y deja que la hierba y las telarañas se quemen. Continúa visualizando a esta persona en la oscuridad, temerosa, asustada e indefensa.

A medida que el plato de materiales se consume apaga la llama de la vela.

Recoge las cenizas y mientras aún es de noche espárcelas a los vientos en las cuatro direcciones.

Tres noches de horrores aguardan a la persona que haya sido tu objetivo.

Ritual de Amor
Noche de San Juan

Ritual para conseguir el amor.

La noche de San Juan reúne unas condiciones astrales muy apropiadas para todo tipo de acto mágico, siendo los rituales para el amor, el dinero, la salud y la suerte los más populares y utilizados.

En esta noche el elemento agua es el receptáculo transmutador de las energías y por lo tanto debe ser el eje fundamental del ritual.

Materiales necesarios:

- 12 pétalos de margarita
- Un clavo metálico
- Cinta o cuerda de color rojo

Como es habitual y en la mayoría de las ocasiones, el ritual debe de comenzar a las 12 horas (medianoche).

Con la cinta roja tienes que hacer un lazo que debes de llevar en la muñeca izquierda, y otro lazo en el tobillo derecho.

Ahora tienes que coger los 12 pétalos de margarita, y andar 12 pasos hacia dentro del mar, río, lago, o en su defecto mojar el camino por el que se deben de realizar los 12 pasos.

Al iniciar cada paso echaras por la espalda un pétalo y pensaras en la persona deseada, y al mismo tiempo susurraras su nombre en voz baja sin que nadie lo oiga, o también la puedes nombrar mentalmente.
Una vez realizados los 12 pasos los desandarás, sin girar ni dar la vuelta, dando una palmada a cada paso desandado.

Hasta ese momento abras activado 3 elementos, Agua, Tierra y Aire. Una vez desandado y llegado al punto de partida hay que prender una pequeña hoguera en la que echarás al fuego un pequeño clavo, el cual una vez se halla consumido el fuego recogerás y lo llevarás contigo.

Ese clavo atraerá a tu amor deseado.

Maldición Errante Gitana

Esta simple maldición ha aparecido durante mucho tiempo en textos, películas y televisión, pero fue inscrita hace mucho tiempo en las páginas de los libros de hechizos de muchos y muchas practicantes.

"Ojalá deambules por la faz de la tierra para siempre,
Que nunca duermas dos veces en la misma cama,
Que nunca bebas agua dos veces del mismo pozo,
y nunca cruces el mismo río dos veces al año".

Parece que la maldición se usó en realidad en Europa del Este y cuando la pronunciaba un practicante de renombre, conocido y poderoso podía tener efectos devastadores.

Es asombrosa su sencillez y sorprendentes sus resultados.

Invertir Maldición (Hechizo)

Este breve, pero eficaz ritual no solo puede detener un maleficio o una maldición en seco, sino que también hace que el efecto de la maldición se acumule sobre el remitente.

Justicia kármica...
¡Una razón para evitar enviar maldiciones al mundo!

Solamente necesitaremos dos **Velas Negras**

Sentado en una mesa, enciende las dos velas negras, una a tu izquierda y otra a tu derecha.

Medita en las cosas que te han sucedido, y que te preocupan y en la idea que tienes una maldición sobre ti y se puede revertir.

Recita en voz alta, con fuerza...

En el bendito nombre de la Diosa,
Y en el de todos los Dioses del Inframundo,
A quienquiera que esté lanzando algo contra mí,
Envía este mal viento a su casa para descansar,
Que estas velas sean sus velas,
Que las llamas sean sus llamas,
Que la maldición que envía sea suya.
Que todo el dolor, todos los males,
Y toda maldición ¡se vaya a casa ahora!

Apaga las velas y observa cómo la maldición te deja mientras se aleja en el humo.

Realiza este ritual justo después del atardecer durante siete noches seguidas.

Desterrar Espíritu de tu Hogar

Este pequeño hechizo puede desterrar rápidamente a un espíritu travieso, pero ten en cuenta que no es para espíritus más fuertes o entidades con malas intenciones.

Muchas personas tienen un simple fantasma y disfrutan de los extraños sucesos ocasionales. Otros desean que se vayan.

Más allá de este tipo de espíritu, sería prudente buscar una consulta profesional.

Simplemente medita y concentra tu energía.
Permítete visualizar la luz azul-blanca que emana de tus manos y llena la casa de calidez y seguridad mientras recitas…

¿Qué haces en este refugio?, déjame en paz,
Encuentra tu paz y hasta la vista
¿Qué es esta oscuridad ahora llena de luz?
Quita este espíritu de mi vista.

Repite cada día al anochecer y, por lo general, en unos pocos días el espíritu se habrá trasladado a un lugar más tranquilo dejando tranquilidad…

Enviar una Carta a los Muertos

Para enviar un mensaje a un ser querido que se ha ido o a cualquier persona del otro lado.

Materiales:

- Dos velas negras
- Tinta china y pluma
- Papel, preferiblemente escrito a mano
- Plato ignífugo

Enciende las dos velas negras. Coloca el papel entre las velas y escribe tus pensamientos y mensajes en el papel. Visualiza en tu mente a esa persona a la que quieres enviar el mensaje; tienes que verla en el otro lado.

Después de completar la carta, dobla el papel dos veces y luego usa la llama de la vela para quemar el papel. Déjalo caer en el plato y asegúrate de que se queme completamente mientras recitas...

Mensaje que arde brillante, es mensaje ligero,
Mensaje será leído por (nombre), en el otro lado.
Bendito sea.

Muy a menudo, la gente ha comentado que este hechizo provocó sentimientos de paz, y algunas veces, sin esperar mucho tiempo se hizo evidente algún tipo de señal.

Es posible que esa sea nuestra señal que nos confirma que…

¡El mensaje había sido recibido!

Soñar con un Fallecido Querido (Hechizo)

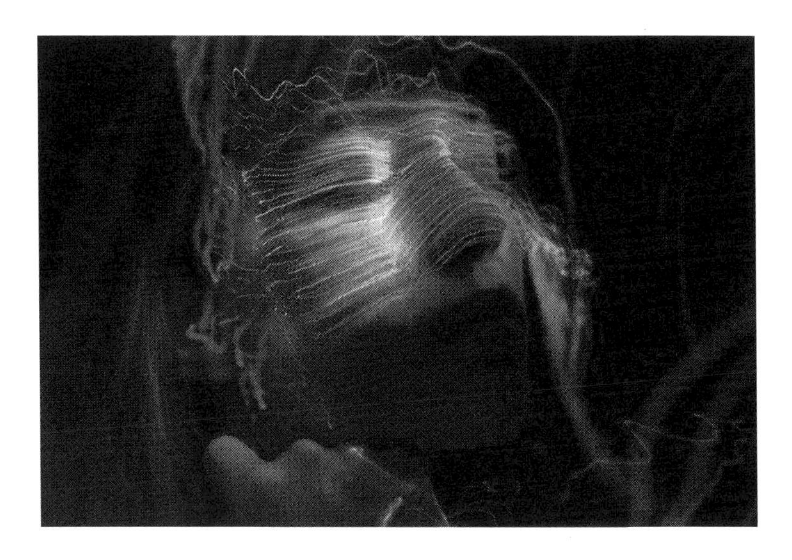

- Vela Blanca
- Bolsa con cordón de muselina u otra fibra natural
- Lavanda

Enciende la vela y mira fijamente la llama. Crea una visión del ser querido en tu mente. Míralo escuchándote, escuchando tus palabras en este hechizo. Mientras agregas la lavanda a la bolsa y tiras de la cuerda para cerrarla, recita el siguiente cántico tres veces...

Te has ido para siempre de aquí,
Aún vives en la luz,
Te invito a estar cerca,
Para visitarme de noche.

Asegúrate de usar este hechizo solo cuando realmente desees saber de un ser querido.

¡CUIDADO!

¡Invitar a personas o entidades desconocidas a tus sueños es dejar la puerta entreabierta para cualquier cosa que surja en la noche!

Pulsera Roja de los 7 Nudos

La Pulsera Roja o **Hilo Rojo** de los siete nudos es uno de los más antiguos amuletos de protección que existe contra el mal de ojo y las malas energías.

En las siguientes líneas trataré de explicarte o por lo menos aclarar el motivo de la creencia en el poder de este amuleto y por supuesto los pasos necesarios para realizarlo correctamente y que su funcionamiento como amuleto sea correcto.

Es usado por judíos desde hace siglos, que creían en el cómo protector contra todo mal físico y psíquico, y lo consideraban un amuleto energético muy poderoso. Es perfecto para personas altamente sensibles o espirituales.

Tiene su origen en una tradición de la **Kabbalah**, que consiste en enrollar alrededor de la tumba de Rajel, esposa de Jacob, siete veces un hilo rojo. Rajel, considerada una de las matriarcas de la biblia, dio a luz a dos hijos después de ser estéril durante muchos años muriendo en el parto de Benjamín, siendo sepultada entre Jerusalén y Belén.

El hilo simbolizaría el cuidado y protección de Rajel sobre nosotros, su color rojo está asociado al peligro y por tanto estamos advirtiendo del peligro a las malas energías.

Y ahora pasaré a las indicaciones para realizar la pulsera, aunque si ves alguna y llama tu atención, perfectamente puedes comprarla, ya que será la pulsera adecuada para ti.

- Solo necesitarás una cuerda, cordón o hilo rojo de un tamaño suficiente para realizar siete nudos sobre ella.
- Para una inmunización espiritual se debe de **poner obligatoriamente en la mano izquierda**, al considerarse la parte izquierda receptora del cuerpo y el alma.
- **Nunca se la debe de poner la propia persona**. Tiene que ser atado a tu mano por una persona que te aprecie o te ame y desee el bien para ti.
- Antes de que se ate la pulsera tienes que sujetar la cuerda roja, pensando y repitiendo para ti mismo varias veces un deseo que quieras ver cumplido. Acto seguido dale la cuerda roja a esa persona que va a realizar el atado.
- Ahora la persona comenzará a atar los nudos y en cada uno de ellos tú deberás concentrar tu pensamiento en aquello que quieres atraer.
- Llega el momento en que debe de atarla a la muñeca esa persona querida que no te desea ningún mal.
- Los extremos que sobran después de atar la cuerda a la muñeca debes cortarlos, y quemar los restos y las puntas con una vela bendecida.
- **Debes de llevarla hasta que cumpla su objetivo y se caiga, rompa o se deshaga por si sola**, o si no, ejercerá el efecto contrario al deseado y atraerá el mal.
- Para reforzar su poder, aunque no es necesario, puede recitarse algún tipo de oración o cántico para que tus peticiones se cumplan.

Para realizarlo según las directrices de la Kabbalah debes recitar la oración en hebreo de Ben Porat.

Oración de Ben Porat

בֵּן פֹּרָת יוֹסֵף בֵּן פֹּרָת עֲלֵי עָיִן
ayin alei porat ben Yosef porat ben

הַמַּלְאָךְ הַגֹּאֵל אֹתִי מִכָּל רָע יְבָרֵךְ
yivarech ra mikol oti hagoel hamalach

אֶת הַנְּעָרִים וְיִקָּרֵא בָהֶם שְׁמִי
shmi bahem vyikare han'arim et

וְשֵׁם אֲבֹתַי אַבְרָהָם וְיִצְחָק
vYitzchak Avraham avotai vshem

וְיִדְגּוּ לָרֹב בְּקֶרֶב הָאָרֶץ׃
ha'aretz b'kerev larov v'yidgu

Al estar esta oración en hebreo debe leerse de derecha a izquierda, pero para facilitártelo aquí la tienes en orden de izquierda a derecha, y lista para recitar:

Oración Ben Porat

"Ben porat Yosef ben porat alei ayin.
Hamalach hagoel oti mikol ra yivarech
et ham'arim vyikare bahem shmi
vshem avotai Avraham vYitzchak
v'yidgu larov b'kerev ha'aretz."

¡Pulsera Lista!

Recuerda: sirve para obtener riqueza, éxito, salud y felicidad, pero especialmente como protección contra malas energías en forma de mal de ojo o envidias.

¡Es una pulsera protectora contra todo peligro!

Talismán de Venus

Pentáculos de Salomón consagrados a Venus

El **Talismán de Venus** es uno de los más antiguos y poderosos talismanes que existen en cuestiones de amor y del corazón. También es utilizado para aumentar el poder de hechizos o rituales en cuestiones de amor o atracción.

Aunque al ser un talismán el solo hecho de portarlo ya lo hace efectivo, debería de estar consagrado por algún mago o persona experta en el tema, ya que aumenta enormemente sus efectos. Si deseas consagrarlo tu mismo al final te explico como hacerlo.

Existen varios de ellos con distintos usos y grabados, concretamente Pentáculos de Salomón, que ya aparecen descritos en *"Las clavículas de Salomón"*, grabadas en hebreo con las enseñanzas de un ángel al mismo Rey Salomón.

Son muy utilizados 5 pentáculos, todos consagrados a Venus y al amor, pero cada uno con unas propiedades características:

- **Primer pentáculo**: Grabado con nombres de 4 ángeles, para controlar los espíritus de Venus.
- **Segundo Pentáculo:** Especial para conseguir un amor intenso. Es el amuleto por excelencia y es el reconocido por mucha gente como el ***"Talismán de Venus"***, aunque es también llamado ***"Talismán de Amor".***
- **Tercer Pentáculo:** Para atraer y alargar el Amor y la amistad. Aumenta el atractivo del portador, llamado ***"Amuleto de Venus"***
- **Cuarto Pentáculo:** Para Despertar o forzar el amor, obliga a los espíritus de venus a obedecer, es llamado ***"Pentáculo del Amor".***
- **Quinto Pentáculo:** Incita al amor al mostrarlo a la persona elegida.

También existe la costumbre de grabar el anverso y el reverso con distintos pentáculos. Es muy normal ver los pentáculos segundo y cuarto en un mismo talismán para conseguir un Amor deseado y para retenerlo.

Pasos para consagrar un Talismán de Venus

Aunque existen varios métodos de consagración y cada persona o mago puede hacerlo a su modo te explico uno sencillo de realizar

Materiales:

- Sal
- Varilla de Incienso de Almizcle
- 2 Velas verdes
- Agua bendita

La consagración del talismán se debe realizar en viernes, día que corresponde al planeta Venus, vinculado al amor, el romance, la amistad y el sexo. El color correspondiente a Venus es el verde.

Como siempre buscaras un lugar tranquilo donde nadie te moleste y puedas realizar este ritual sin interrupciones energéticas.

Para comenzar debes dibujar con la sal un círculo de protección en el suelo.
Dentro de este círculo y orientado hacia el este debes colocar las dos velas verdes, la varilla de incienso de almizcle entre ellas y depositar el recipiente de agua bendita cerca del incienso.

El paso siguiente es introducirte dentro del círculo de protección con tu Talismán de Venus, colocarte en el centro y mirando hacia el Este. Si es posible desnudo sin joyas o adornos de ningún tipo para evitar interferencias.

Es momento de depositar en el centro del círculo el Talismán de Venus, y a continuación encender las velas, primero la izquierda, seguidamente la derecha y después proceder a quemar el incienso.

Y ahora se procede a la consagración en sí.

Colocado en una posición cómoda debes humedecerte los dedos de las dos manos con el agua bendita, colocar la palma de la mano izquierda hacia arriba y la palma de la mano derecha hacia abajo, sin tocar para nada el talismán ni tocarse las manos entre sí.

Concentrándote completamente en tu talismán y en silencio solicitar a las fuerzas del universo que envuelvan el talismán con sus energías…
Debes tomarte el tiempo necesario en tu solicitud hasta que sientas que el talismán va cobrando poder.

Acto seguido volver a mojarse los dedos y repetir la consagración invirtiendo las palmas de las manos, izquierda abajo, derecha arriba y volviendo a concentrarte en el talismán hasta que sientas su poder.

Por último, debes humedecerte los dedos y salpicar el talismán con las gotas de agua bendita.

¡Y listo!

¡El Talismán de Venus ya está consagrado y obtendrás unos resultados increíbles!

Comprobar si estás Hechizado o Embrujado

Una de las cuestiones que nos preocupa cuando las cosas no van todo lo bien que deseamos es averiguar si alguien nos ha mirado mal, nos ha echado un mal de ojo, nos desea el mal, simplemente nos odia afectando a nuestra energía, o mucho más grave aún, si nos han hecho algún hechizo, magia, embrujo, algún amarre, o cualquier trabajo mágico o energético.

Vamos, que necesitamos conocer si estamos embrujados o hechizados y salir de la duda. Puede que simplemente lo que nos ocurra sean vicisitudes de la vida o mala suerte sin más. Nunca se sabe.

La verdad que existen muchos métodos y formas de averiguarlo, a cada cual más curioso o raro. Aquí te voy a enseñar varios de los métodos, aunque como ya he dicho existen muchos y no puedo poner todos (por cantidad y por extensión), en un futuro es posible que amplíe la lista.

¡Vamos a por ello!

Con Fotografías:

Vas a necesitar dos botes de cristal con su tapa, dos fotografías IGUALES de la persona a comprobar, preferiblemente de tamaño carnet, agua bendita y sal común.

Llenarás uno de los botes con agua del grifo y le añadirás una cucharilla de sal, y el otro bote debes llenarlo con el agua bendita. Lo mejor es que los marques con algo para poder identificarlos más tarde.
A continuación, debes meter una fotografía en cada uno de los botes y cerrarlos muy bien para protegerlos de agentes externos.
Lo siguiente es dejarlos **durante 10 días** en algún lugar fresco, seco y a resguardo de la luz. Puede ser una despensa, un almacén, un armario, pero es de suma importancia que estén ocultos a la luz.
Al cabo de los 10 días rescataras los dos botes y comprobaras el estado de las fotografías.

Si las dos mantienen un estado similar es señal de que no existe hechizo...
Si la foto que habías introducido en agua bendita esta mucho más deteriorada o borrada que la otra, es una señal inequívoca de que **la persona esta bajo un hechizo**, sea bueno o malo...

Con el Tarot:

Para este método usaremos una baraja de Tarot. Tienes que barajar, mezclar, mover, tocar, si es posible todas las cartas, en definitiva, impregnar de tu energía el Tarot.
Una vez que creas que ya es suficiente debes dejarlas en una mesa reposar unos instantes.

Ahora llega el momento de volver a coger la baraja, mezclar las cartas 13 veces y acto seguido, sin mirar, elegir tres cartas al azar.

Y toca la comprobación:
Si entre las tres cartas escogidas, es indiferente la posición, se encuentran las de "El diablo", "La Torre" o "La Muerte", es un **signo claro de estar embrujado**.
Si aparecen las de "El Loco" o "El Ahorcado", no hay embrujo, pero es signo de buscar una excusa para tus malas acciones culpando a un hechizo.

Con un Huevo:

Este método a esta explicado detalladamente en una receta del libro 1 de esta colección, pero lo resumo aquí para que este añadido al resto.
Necesitarás un vaso, agua bendita y un huevo; recién puesto o lo más fresco posible. Debe hacerse en martes o viernes y la forma de realizarlo es la siguiente:
Llenaras el vaso con el agua bendita y lo dejaras a tu lado.
Ahora debes coger el huevo y frotarlo por todo tu cuerpo desde arriba hasta llegar a los pies para impregnarlo con tu energía.
Si puedes realizarlo desnudo la carga energética será mucho más efectiva.

Después de estar cargado con tu energía debes romper la cáscara y verter el huevo en el vaso de agua bendita preparado anteriormente e interpretar la reacción de la yema y la clara en el agua.

Si la clara esta limpia y la yema en el fondo no hay embrujo ni mal.
Si el huevo sale negro o podrido puedes tener la seguridad que **estás bajo un Hechizado**.
En caso de aparecer burbujas en el agua o en la yema ojos dibujados es señal de un **mal de ojo o envidias**.

CUIDADO, Si aparece una mancha de sangre, el agua se vuelve oscura o la clara forma una cruz es señal de un **peligroso trabajo de brujería** y debes buscar algún remedio rápido.

Con las Señales:

Puede parecer una simpleza o tontería, pero las señales que tenemos a nuestro alrededor son las que más información pueden darnos para averiguar si estamos bajo algún hechizo o embrujo. Es tan fácil como observar, o en este caso sufrirlas.

Si los animales rehúyen nuestra persona, los bebés lloran al vernos, si las plantas que tocamos terminan secándose, tenemos sentimientos de tristeza inexplicables, fracasan todos nuestros proyectos, planes, etc.
Tenemos perdidas constantes de dinero, sensaciones de que algo malo va a ocurrir, sentimos olores a podrido en algunas zonas de la casa que luego desaparecen, sufrimos aparición de insectos, moscas, cucarachas en gran número, tenemos pesadillas recurrentes.
Si sufrimos perdida de apetito sexual, rechazo de amigos y familiares sin motivos aparentes, tenemos insomnio e intranquilidad, nos ocurren accidentes raros o en extrañas circunstancias, somos el blanco de chismes o mentiras, y cualquier suceso extraño.

Algunos de estos síntomas por si solos no son señales de estar bajo un embrujo o hechizo, pero si vamos acumulando varios de ellos cada vez tendremos más pruebas para confirmar el hecho de poder **estar hechizados o embrujados**.

Con Limón:

Otro de los métodos efectivos para comprobar si estamos hechizados se realiza con ayuda de un limón. Este método en concreto es muy efectivo para detectar un mal de ojo.

Ponemos en un plato blanco un limón y lo cortamos en cruz formando cuatro trozos. Ahora echaremos una cucharadita de azúcar sobre cada trozo de limón.

Prepara cuatro trozos de papel con tu nombre escrito en ellos y clava uno en cada trozo del limón. Acto seguido debes colocar el plato con sus 4 trozos de limón debajo de tu cama o de la cama de la persona a comprobar, y a la altura de la cabecera.

El plato debe de quedarse allí durante 7 días. No menos.

Pasado los 7 días comprobar el estado de los trozos, si están negros u oscuros es claramente **señal de hechizo o Mal de Ojo**, si no es así no lo hay.

IMPORTANTE:
Después debes tirar los limones a la basura sin tocarlos, sobre todo si ha detectado un Hechizo, ya que habrá absorbido malas energías.

Con Aceite:

Para este método usaremos, aceite de oliva, agua bendita y un plato pequeño.
Intentaremos realizar en una habitación con ventanas y puertas herméticamente cerradas para proteger de energías externas.
Llenaremos el plato con el agua bendita y la persona a la que deseamos comprobar mojara sus dedos en el aceite de oliva y dejara caer tres gotas sobre el plato de agua bendita.

Acto seguido, haciendo círculos, y con cuidado de no derramar el agua, pasaremos el plato tres veces sobre la cabeza de la persona a la que estamos realizando la prueba.

Y comprobamos, si las gotas se mantienen sin deshacerse y completamente enteras, la persona **NO** está hechizada.
Pero si las gotas se van extendiendo formando otros círculos, definitivamente la persona **SÍ** lo esta, y cuantos más círculos se formen, mayor será el poder del hechizo.

Con Vinagre y Sal:

Necesitaremos vinagre, sal, agua bendita y un vaso de vidrio que no sea necesario, ya que no podremos usarlo más, después de esta prueba deberás deshacerte de él.

Llenaremos la tercera parte del vaso con el agua, vertimos dos cucharas de vinagre y dos cucharas de sal.
Al igual que con el método del limón debemos colocarlo bajo la cama durante 7 días y esperar resultados.

Si una vez pasados los 7 días observamos que la sal ha subido a través de las paredes del vaso y se ha salido, es claro indicador de que **estamos hechizados o embrujados**.

Con Cabellos:

Usaremos un vaso, agua bendita, aceite de oliva y algunos de nuestros cabellos recién arrancados o cortados.
Llenamos medio vaso con el agua bendita y echamos nuestros cabellos en el vaso, seguidamente añadimos tres gotas de aceite de oliva.
Esperamos una hora y observamos resultados.

Si después de transcurrida una hora los cabellos siguen flotando podemos estar tranquilos.
Si se han hundido al fondo del vaso significa que **has sido objeto de algún hechizo**.

De momento con alguno de estos métodos, o incluso realizando varios de ellos, puedes averiguar si estás hechizado o embrujado.

¡Y Salir de dudas!

Dinero Rápido con Miel y Menta (Ritual)

Existen momentos en la vida en los cuales nos encontramos con dificultades económicas o gastos imprevistos, es entonces cuando este sencillo y aromático ritual te puede venir bien, ¡pero que muy bien!
Para ello nos serviremos de los poderes mágicos de atracción y purificación de la Miel y de la Menta.

Los materiales que necesitaremos son:

- 7 recipientes de pequeños de barro
- Una vela verde
- Unas ramas de Menta
- Un frasco de Miel

Debes realizarlo el primer día de cualquier mes y lo más aproximado a la medianoche de ese día.

Y ahora pasamos a realizar el hechizo que esperamos nos proporcione alivio económico, y a poder ser, rápidamente.

Tienes que preparar el espacio idóneo para realizarlo, y para ello buscaras el lugar más tranquilo y silencioso de la casa o lugar donde estés, un lugar donde las energías puedan fluir satisfactoriamente.
Una vez tengamos ese espacio energético debemos ubicar los recipientes de barro en forma de círculo y la vela verde en el centro de ese círculo.

Ahora deberás picar la menta en pedazos muy pequeños como cualquier chef de categoría, y a continuación mezclarla muy bien con la miel. Puedes calentar previamente la miel para que resulte más sencillo el proceso de la mezcla.
Cuando tengas la mezcla preparada tienes que repartirla a partes iguales entre los 7 recipientes de barro, y seguidamente encender la vela verde.

Llega el momento de la concentración y el fluir energético.
Tienes que concentrarte en los recipientes de barro y en la llama de la vela, visualizándote con abundancia y bienestar económico.
Deberás hacerlo durante el tiempo que creas conveniente, tú sentirás cuando ya debas terminar.

Ahora debes dejar que la vela se consuma completamente y en poco tiempo notaras los resultados. Si deseas encender alguna varilla de incienso de menta, además de crear ambiente las propiedades de la menta potenciaran más aún los efectos del ritual.

Procura no abusar del ritual o sus efectos se invertirán, úsalo solo en momentos de emergencia.

Amuleto Personal con Runas de Nacimiento

Las Runas vikingas son uno de los oráculos más antiguos del mundo, usado por las tribus nórdicas y germánicas del norte de Europa con fines mágicos.
Son antiguas representaciones de un alfabeto germánico, cada una tiene un significado y ellas nos ayudan a percibir y canalizar nuestra energía.

Se usan estampando sus símbolos en cualquier superficie, aunque por lo general son grabadas en piedra, puede hacerse en cualquier superficie e incluso pintadas o dibujadas.

En esta receta usaremos sus energías para realizar un amuleto específico para nuestra persona, basado en nuestras runas de nacimiento correspondientes.
Este amuleto nos servirá para todo tipo de cuestiones, protegiéndonos de todo mal y potenciando todo lo bueno.

Necesitamos:

- Conocer las **Runas de nacimiento**
- Un papel blanco o cartulina
- Una Pintura
- Una varilla de Incienso
- Una vela astrológica
- Una vela blanca

Antes de comenzar debemos averiguar nuestras Runas de nacimiento, nuestro día mágico, y el color para la pintura y nuestra vela astrológica.

Puedes averiguar las **Runas de nacimiento** en la siguiente imagen, busca tu signo del zodiaco y sobre él tendrás las dos Runas que le corresponden.

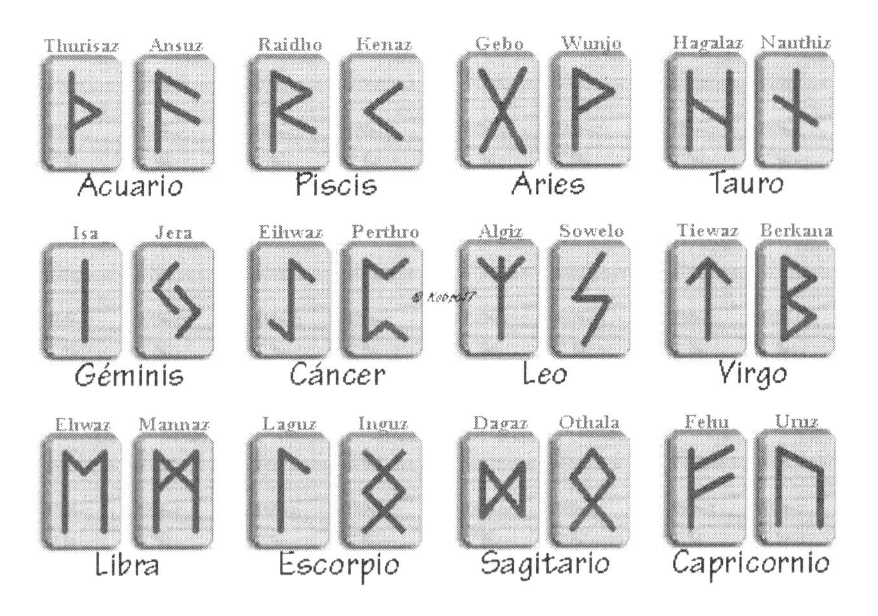

Runas de Nacimiento según el signo del Zodiaco

La vela astrológica debe ser una vela del color de tu signo del zodiaco, color que también usaras para la pintura.
Aquí tienes los colores asociados a los signos del zodiaco y el día mágico para realizar tu amuleto:

Aries: rojo, martes
Tauro: verde, viernes
Géminis: lila, miércoles
Cáncer: blanco/amarillo claro, lunes
Leo: amarillo, domingo
Virgo: morado, miércoles
Libra: rosa, viernes
Escorpio: naranja, martes
Sagitario: azul, jueves
Capricornio: negro, sábado
Acuario: marrón, sábado
Piscis: celeste, jueves

Ahora que ya conocemos nuestras runas, el color y el día mágico de nuestro signo, **Ya estamos listos**.

En nuestro día mágico pasamos a la preparación en sí del amuleto. Colocarás la vela y el incienso cercanos entre sí, en una superficie cómoda y procederás a encenderlos.
Recuerda, siempre con cerillas de madera.

Delante de la vela y el incienso recita la siguiente oración:

"Yo te solicito, Árbol de la vida,
el regalo de mis runas de nacimiento,
que me otorguen protección para siempre,
potencien todo lo bueno que existe en mí,
y todo lo bueno que exista a mi alrededor."

Acto seguido coloca la vela astrológica cerca del incienso y la vela blanca, y procede a encenderla.

Coge el papel blanco o cartulina y los lápices de colores.
Ahora debes dibujar sobre el papel tus dos Runas de nacimiento, muy importante que sea siempre haciendo los trazos de **arriba hacia abajo**.
A medida que las dibujas piensa que atraes la energía de las runas sobre el papel y que se convierte en algo con vida y energía.

Tomate el tiempo que tú y las runas creáis necesario.

Cuando ya hayas terminado de plasmar las runas sobre el papel tienes que pasarlo varias veces (las que creas necesarias) por el humo del incienso mientras recitas:

> *"Consagro a los 4 elementos este amuleto de runas de nacimiento,*
> *para que sea cargado con la energía suficiente para protegerme*
> *y activar todo el poder y lo bueno que la vida posea para mí.*
> *Así YA se ha hecho."*

Con eso es todo, **¡Ya posees tu amuleto personal!**

Ahora solamente deberás llevarlo contigo siempre, un buen lugar puede ser en la cartera. Si lo has realizado en cartulina no se estropeará tanto con el tiempo, pero si lo has hecho en papel puedes plastificarlo.

Si algún día sientes que ya no funciona o quieres deshacerte de él, debes darle gracias mientras lo quemas y observas como se reduce a cenizas.

Bloquear los Malos Pensamientos (Ritual)

A veces nos asaltan **Malos Pensamientos** que aparecen en nuestra mente sin que podamos evitarlo.
Se quedan en nuestra mente lanzando mensajes negativos y dañinos, y son tan perjudiciales como la magia negra.

Son ideas instaladas que provocan que perdamos esperanzas de conseguir nuestros objetivos, nos debilitemos mentalmente o incluso, si estamos enfermos, nos impiden seguir el camino para mejorar nuestra salud.

¡Debemos bloquear el pesimismo y la negatividad!

Para olvidar esos malos pensamientos, reducir la ansiedad y así poder dirigir nuestra mente hacia pensamientos positivos podemos realizar un ritual que va a ayudarnos muchísimo.

Materiales que necesitaremos:

- Cartulina o papel negro
- Rotulador fino o lapicero blanco/claro
- Rotulador negro
- Café molido usado
- Hilo negro
- Un trozo de paño o bolsa negra

Comenzaremos el ritual escribiendo con nuestro lápiz o rotulador blanco en el papel o cartulina negra que tenemos, la siguiente sentencia:

"Para que los malos pensamientos se congelen, para que los ya causados, en este momento se paren y que ya no vuelvan a mí jamás".

Una vez que lo hayamos escrito, vamos a coger el rotulador negro y tacharemos la frase por encima de las letras con una raya, asegurándonos que el rotulador negro ha marcado todas ellas.
Ya hecho esto debemos colocar el papel sobre la mesa y depositar los posos usados del café molido en el centro del papel.

Ahora vamos a hacer un pequeño paquete o sobre doblando el papel (tamaño y forma, la que queramos), y dejando los posos de café en su interior.

Cuando lo tengamos doblado pasaremos a atarlo con el hilo negro, bien sujeto con varios nudos.
El último paso es meterlo en una bolsita negra o en su defecto envolverlo con un paño negro e introducirlo en el congelador.

Desde ese momento los pensamientos dañinos se irán congelando y nos sentiremos más fuertes, más animados, más positivos, nuestra energía ira en aumento y sentiremos que podemos con todo.

¡Listo!

Guía Materiales e Ingredientes

Aguas

El agua, como líquido elemental, es la sustancia de la vida.

El agua de las fuentes, cascadas, estanques, lluvia, manantiales, cenotes, lagos, mares o ríos es venerada y divinizada en múltiples formas y menudo representa la frontera entre este y el otro mundo.

Como mágico elemento el agua se vincula con las emociones, la vida, los sentimientos, la sanación, la purificación.

En magia podemos usar para diferentes fines el agua proveniente de los distintos lugares en que se hallan, siempre invocando y solicitando la ayuda de los elementales que habitan en ella.

Agua de mar

Por su contenido de sal y dado que esta purifica y elimina la negatividad, el agua de mar se puede utilizar para limpiar y para hechizos de sanación. Tiene una energía fuerte y transformadora, y por ello podemos usarla para limpiar objetos o para cuando queremos dejar ir cosas, pensamientos, emociones del pasado que nos siguen afectando en el presente. Con el agua de mar estamos solicitando la ayuda a tritón, sirenas y oceánidas.

Agua de río

El agua de río es dulce, se mueve rápida y enérgicamente, pero en ocasiones está en completa calma por ello puede ser usada para renovarte con la luna nueva, también podemos usarla para sanar enfermedades o cargar objetos mágicos con su energía invocando a las hadas lavanderas que habitan en los ríos.

Agua de manantial o naciente

El agua de manantial es pura de forma natural, y contiene minerales que le dan un sabor característico. Esta agua se puede usar para trabajos de sanación, purificación y limpiezas porque su energía es espiritual y femenina. Al trabajar con esta agua la ayuda nos la proporcionarán las ninfas.

Agua de lluvia

Se usa para creatividad, para abundancia, trabajo, cambios. Su energía es fuerte y en ocasiones muy enérgica. En muchos lugares se invocan a los guardianes de las nubes y la lluvia para pedir que caigan sus aguas sobre la tierra y dar vida a los cultivos.

.

Agua Bendita

El agua bendita es uno de los Sacramentales más conocidos en las creencias cristianas.

Es agua normal hasta que es bendecida mediante la señal de la cruz por un obispo, presbítero o diacono. Se usa en las Iglesias católica, ortodoxa, veterocatólica y en la anglicana.

A su vez es ampliamente utilizada para bendecir personas, animales u objetos.

Es un signo de purificación y, se dice que es un arma tan poderosa que borra los pecados veniales y se le atribuye el poder de espantar a los demonios
El agua bendita protege del asalto externo del demonio, y usada en exorcismos es un arma contra los asaltos internos.
Combina los poderes del agua y los espirituales.

Hoy en día es muy fácil conseguirla para nuestros hechizos a través de internet, en tiendas esotéricas o en las mismas Iglesias. Incluso podemos comprar agua bendita de lugares sagrados como Lourdes o Fátima.

Si queremos conseguirla por nuestros propios medios, y como nos resultaría difícil y extraño llenar nuestra botella de la pila de una Iglesia o que un cura nos la proporcione, tan solo tenemos que llevar nuestra botella de agua corriente y escuchar una misa completa. Cuando el cura bendice, bendice también todo lo que haya en la Iglesia.

Artemisa

La artemisa (Artemisia vulgaris) es una especie de planta de la familia de las asteráceas del género Artemisia, también llamada hierba de San Juan, planta de los Sueños, artemega, ceñidor, yuyo crisantemo o madra.

Puede usarse la planta seca, las raíces, las hojas o comprado seco para su uso o para moler.

La Artemisa es una de las plantas más poderosas; planta iniciática y reveladora de las claves del saber perdido, se decía que inducía sueños lúcidos y viajes astrales. Favorece la videncia, también para eliminar la energía negativa, mal de ojo y las brujas le reconocían la propiedad para atraer el amor.

Es la planta protectora de la mujer por excelencia y debe su nombre a la diosa griega Artemisa, cuyos ritos estaban basados en las fuerzas de la madre tierra.

Su máximo poder tiene lugar en los días de luna llena y en la noche mágica de San Juan.

.

Caléndula

Planta Medicinal y Mágica que por su facilidad de cultivo y adaptación es calificada como silvestre. De flores amarillas o anaranjadas, y aunque de origen desconocido se cree proviene de la zona mediterránea.

De nombre científico "Calendula officinalis", tiene multitud de nombres comunes, botón de oro, maravilla, caléndula, mercadela, chinita, novia del sol.

No posee un olor agradable, pero aun así es utilizada para baños estimulantes y de limpieza espiritual, ya que sus flores sirven para canalizar las energías positivas.

Entre sus poderes esotéricos se encuentran el proveer sueños proféticos, fortalecimiento de poderes psíquicos, proporcionar éxito en temas legales y una muy interesante como mejorar la visión. Se usa en rituales o hechizos para mantener los entes malignos alejados. Poniendo unas hojas debajo de la almohada nos protegerá de los malignos espíritus.

Como curiosidad sus flores naranjas o amarillas "parecidas al Sol" se cierran y abren al salir y ponerse el sol, conocida por ello como "La Novia del Sol".
Otra de sus curiosidades es el avisar de lluvias, si no se abre al amanecer lloverá y si a la tarde se cierran temprano hará buen día.

Comino

El comino (Cuminum cyminum) es una planta herbácea cuyas semillas aromáticas se usan como especia. Es muy sencillo encontrarlo en grano o molido.

Desde épocas antiguas, el comino ha tenido múltiples usos. Como condimento en la comida y como remedio para diferentes dolencias. Pero, además, posee un gran valor que le otorga un poder extra.

También, ha sido empleado con fines esotéricos. El comino, era considerado por los egipcios, como semillas fogosas y, por ello, la tomaban como afrodisíaco y la ponían como ofrenda en las tumbas de los faraones.

Con su semilla se realizan hechizos para evitar robos, ya que se considera que tiene el "don de la retención", lo que impide que sea sustraído cualquier objeto que lo contenga.

Se emplea en los hechizos de amor, y para fomentar la fidelidad. Empapado con vino se usa para encender la pasión.

Para obtener protección, se quema y se esparce por el suelo, alejando así el mal.

Enebro

El enebro común (Juniperus communis) es una especie de planta leñosa de la familia Cupressaceae. El origen del enebro es de las zonas más frías, principalmente en Norteamérica, Europa y Asia.

Según relatan ciertas historias es una planta con especiales poderes «mágicos», además de gran cantidad de cualidades medicinales.

Las bayas de enebro tienen propiedades mágicas protectoras, sea de causas terrenales o del más allá, y propiedades de purificación.

Eran quemadas por los celtas por Año Nuevo para la purificación. En Italia las quemaban en Nochebuena y utilizan sus cenizas "benditas" para hechizos el resto del año. También en época navideña se colocaban en los establos ramas de enebro, pues se creía que protegía a los animales de cualquier mal.

Existe una tradición europea en la que se queman ramas de enebro al enterrar a un difunto para ahuyentar los malos espíritus y darle descanso eterno a su alma.

Se suele llevar una bolsita con enebro para protección y quemar enebro para purificar las casas, ahuyentando fantasmas o cualquier entidad maligna que esté dispuesta a hacer daño.

Escaramujo

El escaramujo, llamado en España tapaculos (por su poder astringente) es el fruto de rosales, como la Rosa eglanteria (Rosa Mosqueta) y en particular de la Rosa canina (Rosal silvestre).

Entre las propiedades Esotéricas que se le suponen destacan las siguientes:
Su poder de dulcificar el miedo, rabia, odio y cualquier emoción tóxica.
Su uso en rituales de sanación emocional, paz, y reconciliaciones de familia, parejas o amigos.
Se incluye en hechizos de amor, sahumerios, colonias, baños y conjuros.
Es perfecto para lograr vencer dificultades y alcanzar objetivos, y es muy usado en rituales para conseguir objetivos difíciles.
Destaca también su uso para mitigar la apatía, la indiferencia, y recuperar el entusiasmo y el interés por la vida.
Se dice que los escaramujos llevados en una bolsa de franela roja, dan amor y facilitan el matrimonio.

Las rosas están relacionadas con la belleza, al amor y Venus, y no es algo simbólico o poético, si observamos la órbita del planeta Venus durante ocho años describe perfectamente la imagen de los pétalos de rosa o la pentalfa sagrada.

Por ello vemos esta imagen en los rosetones de las iglesias cristianas, o tenemos representaciones de la Virgen con una rosa en la mano, como símbolo de perfección en la naturaleza.

Heliotropo

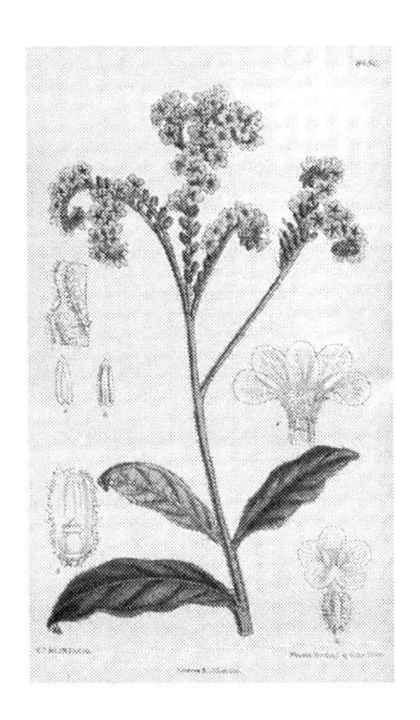

Nombre científico: Heliotropium peruvianum
Estamos ante una planta o arbusto, que también recibe otros nombres comunes como Vainilla de jardín, Heliotropo, Hierba de la mula, Violoncillo.

Planta medicinal, utilizada en perfumería, para aceites esenciales, su raíz tiene propiedades relajantes., y además posee colores y aromas maravillosos, que es lo que le da la fama.

Una de las características del heliotropo es que siempre conserva una orientación hacia el sol (de ahí su nombre), y habitualmente, procede de Perú.

Al aceite esencial de heliotropo se le atribuye el poder mágico de atraer la riqueza, pero ganada con esfuerzo y trabajo. Algunas civilizaciones antiguas le atribuían la magia de hacer más fértil la tierra y así tener mejores plantaciones.

Como el resto de materiales es muy común encontrarlo en tiendas.

Cuidado porque la palabra heliotropo, también puede hacer referencia a un amuleto bastante utilizado en temas esotéricos y magia, y que está formado por una variedad del Cuarzo.

Imán o Magnetita

Piedra de imán, hematita magnética, hematita, hematites, oligisto, ferroferrita, morpholita, acerina o simplemente Imán.

La magnetita es un mineral de hierro constituido por óxido ferroso. La Hematita magnética es una variante de óxido férrico y debe su nombre a su vivo color rojo, en griego 'piedra de sangre'.

En el ámbito esotérico la magnetita se considera como una piedra especial que emite energías electromagnéticas extremadamente positivas. Se cree que sus vibraciones eliminan el cansancio, fortalecen el intelecto, favorecen la meditación, energizan la glándula pineal y fortalecen la intuición.

También es una piedra excelente para la protección energética y espiritual, usado para energizar amuletos, talismanes y disolver energías negativas de su alrededor.

Se le ha atribuido diversas propiedades mágicas, atraer el amor, dar buena suerte, proteger el espíritu, equilibrar y fortalecer el campo bioenergético (Aura), fortalecer el poder de autocuración, despertar dones psíquicos y favorecer la telepatía.

En este libro es usada en varias recetas.

Lavanda

Lavandula es un género de plantas de la familia de las lamiáceas, también se la conoce como lavanda, alhucema, espliego o cantueso, entre otros muchos nombres comunes.

Entre las propiedades mágicas asombrosas de la lavanda incluye que ayudan a las personas a la sanación espiritual, a liberar bloqueos personales y a afrontar los temores o miedos que pueden tener en la vida.

La lavanda limpia el hogar de energías negativas, habladurías de otros, protege de las malas vibraciones, "trabajos", la brujería, mal de ojo y la envida que pueda venir del mundo exterior. Es una planta que atrae la buena suerte y el éxito, por lo que la encontrarás en muchos rituales.

Es considerada la planta del amor, y por tanto es muy usada en los hechizos y rituales amorosos. Uno de los más conocidos y recomendados es perfumar las cartas o los obsequios entregados a la persona amada.

A resaltar el gran poder energético que tiene, ya que tiene la capacidad de neutralizar cargas negativas en cualquier espacio, por lo que vale la pena tenerla por todas partes: casa, oficina, etc.

Lunaria Menor - Moonwort

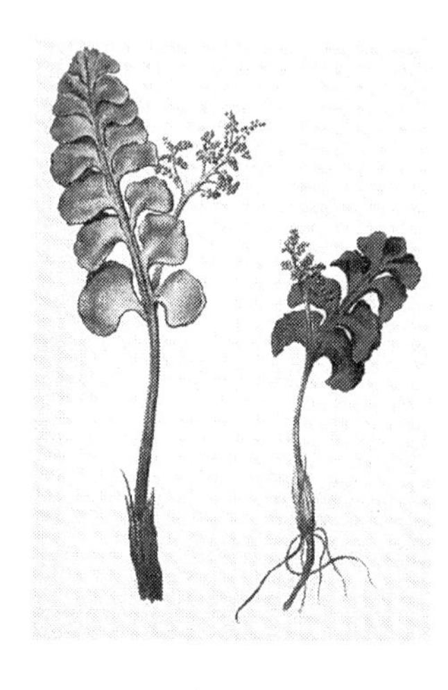

Lunaria menor (Botrychium lunaria) o **Moonwort**, es un pequeño helecho que puede alcanzar los 30 cm; habitualmente no más de 15 cm.

Es el Segundo tipo de Lunaria, que se suele usar en prácticas mágicas, y que no debemos de confundir con la **Lunaria Annua** o yerba de nácar muy usada en ornamentación y descrita anteriormente.

Es una planta ya conocida desde la antigüedad por sus poderes mágicos. Se emplea en hechizos relacionados con el dinero y el amor.
También se asociaba con el culto a las diosas y a la luna.

Crece en muchas partes de Europa y América y en caso de tener dificultades para encontrarla, dirígete a tu tienda de productos esotéricos, allí es muy común.

Magnolia

De nombre científico Magnolia grandiflora, conocida como magnolia común, o simplemente magnolia, es una especie arbórea perteneciente a la familia Magnoliaceae, nativa del sureste de los Estados Unidos. Es muy frecuente verla cultivada como planta ornamental.

Es muy utilizada en la medicina tradicional china y japonesa

Una propiedad poco conocida de las magnolias es que milenariamente han significado pureza y fidelidad. Por ello los hechiceros que se han dedicado a su estudio las han usado para potenciar sus conjuros y guardan celosamente el secreto.

Esta planta ayuda a conservar la paz en tus relaciones de pareja, armonizando y equilibrando la energía de la relación.

Así como las flores de magnolias se usan para hacer hechizos, de la misma manera se utiliza su aceite esencial en multitud de ellos.

En este libro, y esta vez, usaremos los pétalos, pero en futuros hechizos nos centraremos en su aceite esencial.

Mezquite/Mesquite

Los mezquites (del náhuatl mizquitl), también llamado mesquite, algarroba o chachaca son arboles del género Prosopis. Crecen en las zonas desérticas del norte de México y al sur de los Estados Unidos, bastante popular y del que puede aprovecharse casi todo, incluso para alimento.

El árbol de mezquite es mágico, ya que a este se le atribuyen poderes mágicos positivos, no deja entrar hechizos en nuestra contra o malas intenciones que quieran llegar a nuestra casa, y si hacemos limpieza de una casa, el enemigo se aleja para siempre y la suerte nos llega nuevamente.

Entre otros beneficios atribuidos a este árbol se encuentra el ser un potenciador de la energía y del estado de ánimo. También es curativo para la diabetes, colesterol y otras enfermedades.

Del mezquite se obtiene buena madera, la cual es utilizada principalmente para cocinar, pues el aroma del carbón de mezquite da un toque ahumado muy especial a carnes y barbacoas.

Para nuestras recetas lo puedes comprar en cualquier tienda esotérica en trozos, virutas y para ahumar.

Muérdago

Viscum album, comúnmente muérdago blanco, planta semiparásita nativa de Europa y América.

Se le atribuyen propiedades mágicas y existen tradiciones celtas relacionadas con la fertilidad y el amor. Una de ellas es la tradición del beso cuando nos encontramos debajo de una rama de muérdago.

Los antiguos druidas celtas creían que cualquier árbol con muérdago en sus ramas era sagrado. Una poción hecha de muérdago podía curar enfermedades, servir como antídoto contra venenos, asegurar la fertilidad en humanos y animales y proteger contra la brujería.

Con poderes esotéricos inigualables, entre sus propiedades están: la protección, incrementar la fertilidad, guardarnos de espíritus maléficos, brujas, demonios, mal de ojo y envidias. Igualmente ayuda a evitar visitas indeseadas.

Es tradición confeccionar guirnaldas navideñas para adornar las puertas de las casas y alejar malas energías y vibraciones.

Los hechizos, pociones, rituales, baños y oraciones del muérdago están especialmente diseñados para obtener el amor de una persona.

Narciso (Raíz)

Narcissus es un género de la familia Amaryllidaceae originario de la cuenca mediterránea y Europa.
Se le conoce como flor pato o narciso. La mayoría de sus especies son nativas de la región mediterránea.

El nombre deriva de la palabra griega ναρκὰο, narkào ('narcótico') y se refiere al olor penetrante y embriagante de las flores de algunas especies.

Se creía que las flores de narciso atraían a las mujeres vírgenes, y que según la tradición las flores de narciso adormecían a los mortales para conducirlos a su último sueño y simbolizaban el renacer de la vida y el tránsito de las almas.

Se utilizan tanto las flores como su bulbo para realizar sortilegios de amor, especialmente para los hombres, y se dice que el bulbo del Narciso es afrodisíaco.

Sus flores, en un talismán amoroso, atraen el cariño y la atención de las jovencitas. Un trocito de raíz de narciso colgado al cuello nos asegura buenas amistades. Para conciliar el sueño, poner unas flores en su habitación y a dormir placidamente.

En loción endurece los senos, elimina el cansancio anímico y estimula las emociones.

Regaliz

Regaliz (Glycyrrhiza glabra).

El nombre científico del regaliz, proviene de "glukos" (dulce) y "riza" (raíz). Esta "raíz dulce" contiene glicirricina, compuesto que puede ser hasta 50 veces más dulce que el azúcar.

Contiene estrógenos, y se dice que la raíz eleva los sentimientos y sube la vibración de relaciones amorosas. Aumenta la presión sanguínea, es de efecto laxante y apreciada como afrodisíaco.

El regaliz estimula la producción de hormonas, lo cual hace que los hombres se fijen en las mujeres que lo usan.
Lo cierto es que el regaliz es una de esas plantas para atraer el amor que funciona de verdad desde el punto de vista científico (aunque solo en el caso de las mujeres).

Documentos antiguos, hablan de su utilización en rituales especiales para reconciliar familiares distanciados, enemigos y socios enfrentados, y "en la magia amatoria sirve para evitar las infidelidades y detener algún engaño".

Romero

Nombre científico: Salvia Rosmarinus. Conocida popularmente como Romero, hierba leñosa perenne, follaje siempre verde y flores de varios colores, nativa de la región mediterránea.

Hasta el año 2017 era conocida por el nombre científico Rosmarinus officinalis.

El romero es una planta muy popular, usada como complemento culinario, con muchas propiedades medicinales y muchísimos usos esotéricos desde hace siglos.

Dentro de sus propiedades mágicas están: estimula la memoria, los recuerdos y fomenta la amistad, la juventud y la fidelidad entre amantes y amigos. Por ello, algunas veces las novias lo llevan en su ramo, y los novios en la solapa.
Se ha empleado durante mucho tiempo en rituales de amor y deseo, así como para reforzar amistades. Por eso, lo encontrarás como ingrediente en multitud de hechizos.

Hay clarividentes y brujos que usan el romero para sus predicciones. Lo queman y usan el humo para liberar su mente y tener una visión más clara.

Sándalo

Santalum album, el árbol del sándalo, es una especie botánica originaria de la India y otras partes de Asia, aunque se planta en otros lugares del mundo.

Su madera es muy conocida por sus tallas y porque de ella se obtiene el aceite tan usado en perfumería.

El sándalo, utilizado desde hace siglos, es uno de los árboles con mayores propiedades esotéricas. Ayuda a conectar con la espiritualidad y es ideal para acompañar meditaciones, y con el se fabrican inciensos, velones, perfumes, cremas y aceites.

En la India es un árbol sagrado, su aroma produce erotismo, fomenta las relaciones, la comunicación, promueve el optimismo, el comercio y además aleja el egoísmo, la mentira, la envidia y la crueldad.

Es excelente para potenciar nuestras capacidades mentales a la hora de estudiar y su aroma mejora la respiración y mejora la calidad del sueño

Dice un proverbio hindú: "Hay que ser como el sándalo, que perfuma el hacha que lo hiere"

Tomillo

Thymus o tomillo es un género de hierbas y subarbustos. Nativas de las regiones templadas de Europa y Asia, África del Norte y Groenlandia.

La especie más conocida es Thymus vulgaris, usada como condimento, planta medicinal, ornamental y por supuesto en trabajos mágicos.

El tomillo cuenta con un gran poder sanador, purificador y liberador. Ofrece grandes beneficios para aromatizar el ambiente. Igualmente posee un fuerte poder sanador, purificador y liberador.

Los egipcios utilizaban esta hierba en los embalsamamientos, los griegos en sus baños y la quemaban como incienso en sus templos, y los romanos lo usaban para purificar sus viviendas, también creían que era un remedio para la melancolía y solían lavarse la cara con agua de tomillo para realzar su belleza.

Las mujeres de la edad media daban a sus caballeros y guerreros regalos que incluían hojas de tomillo, ya que creían que aumentaba el coraje del portador, y les proporcionaba suerte en la batalla.

Un amuleto de tomillo es altamente efectivo para protegernos, alejar las malas energías y los malos espíritus. Una ramita de tomillo debajo de la almohada evita tener pesadillas.

Trébol

Trifolium, una especie de hierbas anuales o perennes, conocidas popularmente como tréboles. Se caracteriza por tener hojas que se dividen en tres folíolos.

Desde hace muchos siglos se utiliza (tenga 3 o 4 hojas) como elemento protector, amuleto de la buena suerte, contra el mal, o para romper maldiciones. Explicar que el trébol de 4 pétalos es muy extraño; es una mutación de la planta.

Como símbolo pagano y celta (consideraban al número 3 sagrado) sus hojas simbolizan el amor, la esperanza y la fe. Si es de 4 hojas, se nombra trébol de la fortuna, y la cuarta hoja representa la fortuna.

Adoptado después por el cristianismo fue usado por San Patricio como símbolo de la Santísima Trinidad, representando sus hojas al Padre, al Hijo y al Espíritu Santo. El de 4 hojas, se considera la Trinidad más la gracia de Dios.

Si se aparecen en los sueños representan la ganancia financiera, los logros, el éxito, la buena salud y el desarrollo personal.

CUIDADO, si se encuentra uno de 5 hojas, ya que representa la mala suerte, todo lo contrario de los de 3 y 4 hojas.

Vetiver

Chrysopogon zizanioides, Vetiver, nativa de la India, es una planta perenne de la familia de las gramíneas.
Su nombre es originario del idioma tamil, en el cual, vetiver significa "raíz que está desenterrada". En el norte de la India es llamado Khus.

Las mágicas cualidades del vetiver aportan protección contra enemigos, otorgan vitalidad, atracción sexual y evitan robos. También se usa en hechizos para atraer el dinero, hacer crecer los negocios y proporcionar buena suerte.

Es usado principalmente, el llamado aceite de khus, aceite esencial extraído de la planta de vetiver. Es bastante fragante, y su uso como colonia masculina es altamente valorado.

Además de todo lo enumerado anteriormente posee innumerables propiedades medicinales.
El aceite esencial de vetiver es un sedante conocido, para convulsiones, irritaciones nerviosas, aflicciones y arrebatos emocionales como la ira, ansiedad, ataques epilépticos e histéricos, inquietud y nerviosismo, e incluso se usa para el insomnio, para aliviar el estrés postraumático o la depresión postparto.

Vinca

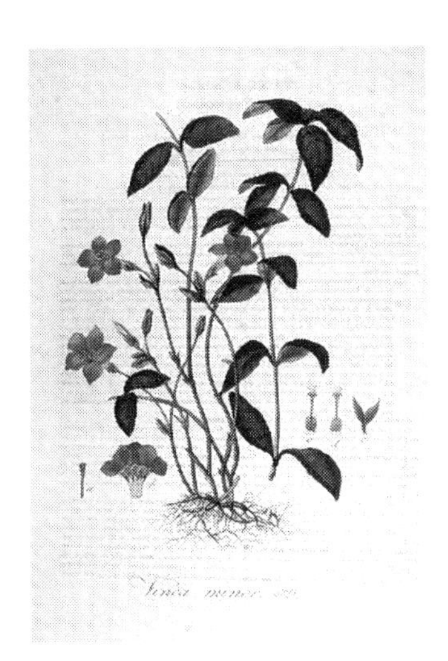

Vinca (del latín vincire "sujetar, trabar"), originaria de Europa, noroeste de África y algunas regiones de Asia.

Conocida por multitud de nombres: Vinca minor, Vinca, Hierba doncella, Pervinca, Bígaro, Dominica, Vincapervinca, Violeta de asno, Caraqueña, Ojo del Diablo, Periwinkle.
La vinca presenta unas vistosas flores de color azul pálido o violáceo.

Es una de las plantas mágicas sagradas de la magia occidental y muy recomendada por San Cipriano en su famoso grimorio.

Utilizada como protección, en limpiezas, para atraer riquezas, muy común en pociones de amor, aumentar la felicidad, atraer prosperidad y salud, como ofrenda, para alejar la mala suerte y las energías negativas, para desterrar los espíritus inquietos de su hogar, y para protegerse de la negatividad.

Cuenta una leyenda cristiana que originalmente sus flores eran blancas: la Virgen tocándolas las hacía añil como las sombras de sus ojos. Se dice que solo las personas puras pueden beneficiarse de sus poderes y debe recolectarse cuando la luna está creciendo.

Bibliografía

Clavículas de Salomón. (1641), Edición de Amberes (1721). Traducción del Hebreo por Iroe el Mago.

The Book of Enoch, by R.H. Charles, (1917). Translated by R.H. Charles, D. Litt, D.D. With an introduction by W.O.E. Oesterley.

Abramelin the Mage. (1900). The Book of the Sacred Magic, translated by S.L. MacGregor Mathers. London, John M. Watkins.

Barrett, Francis. (1801). The Magus, London.

Mooney, James. (1891). Sacred Formulas of the Cherokee. 7th Annual report, Bureau of American Ethnology. pp. 302-97

Ellen Harrison, Jane. (1913). Ancient Art and Ritual. London, Thornton Butterworth Ltd.

Edward Waite, Arthur. The Book of Ceremonial Magic. (1913). London.

Gardner, Gerald. (1940). El Libro de las Sombras, versión compilada por Aidan A. Kelly.

George Hohman, Jhon. (1820). Pow-wows or Long-Lost Friend.

Libro de San Cipriano, Tesoro del Hechicero. (1985). Ediciones Humanitas.

MacGregor Mathers S.L. y Aleister Crowley. (1904). The Lesser Key of Solomon.

Innumerable información del "boca a boca" de ancianos y de la "sabiduría popular".

Algunos textos basados en lecturas de internet libres de derechos.

Webgrafía e Imágenes

Variedad de información documentada con (https://es.wikipedia.org/)

Artículos adaptados de "brujilla.com" con permisos del autor (2013/2021). (http://brujilla.com/) y (http://brujilla.com/zonabruja). © Safecreative

- http://brujilla.com/hechizo-para-alejar-la-tristeza/
- http://brujilla.com/que-es-la-inteligencia-emocional/
- http://brujilla.com/amuleto-personal-con-runas-de-nacimiento/

M.S. del, J.N.Fitch, lith., Public domain. (1913). Heliotropo, via Wikimedia Commons. https://commons.wikimedia.org/wiki/File:Heliotropium_anchusaefolium_139-8480.jpg

Walther Otto Müller, Public domain. (1897). Muérdago, via Wikimedia Commons. https://commons.wikimedia.org/wiki/File:Heliotropium_anchusaefolium_139-8480.jpg

Anton Hartinger, Public domain. (1882). Lunaria, via Wikimedia Commons. https://commons.wikimedia.org/wiki/File:Botrychium_lunaria_Atlas_Alpenflora.jpg

Prof. Dr. Otto Wilhelm Thomé, Public domain. (1885). Regaliz, via Wikimedia Commons. https://commons.wikimedia.org/wiki/File:Illustration_Glycyrrhiza_glabra0.jpg

Kops, Jan. (1830). Flora Batava, via Wikimedia Commons. https://commons.wikimedia.org/wiki/File: Hypericum_perfo-ratum_—_Flora_Batava_—_Volume_v7.jpg

Arnold, Karen. (2021). Lavanda, Lavender Flowers Isolated. https://www.publicdomainpictures.net/pic-tures/270000/velka/lavender-flowers-isolated.jpg

Piqsels.com. (2021). Dominio público. Velas encendidas. https://www.piqsels.com/es/public-domain-photo-zyyin

Pxhere.com. (2021). Dominio público. Imagen Narciso. https://pxhere.com/es/photo/1209047

Freepng.es (2021). Imagen Sándalo. https://www.freepng.es/png-lso9t0/

Freepng.es (2021). Imagen Tomillo. https://www.freepng.es/png-dbuxzl/

Freepng.es (2021). Imagen Vetiver. https://www.freepng.es/png-e5w17e/

Imágenes gracias a pixabay.com:

- https://pixabay.com/es/illustrations/amor-corazón-fan-tasía-silueta-4126181/
- https://pixabay.com/es/illustrations/modelo-manzanas-granos-3661069/
- https://pixabay.com/es/vectors/amor-par-amantes-fa-milia-romántico-1929407/
- https://pixabay.com/es/illustrations/poción-mágica-bo-tellas-corcho-1949488//
- https://pixabay.com/es/illustrations/vela-corazón-amor-suerte-resumen-66307/ /
- https://pixabay.com/es/vectors/cuerda-cadena-cable-por-cable-576774/

- https://pixabay.com/es/photos/rezar-las-manos-manos-rezando-2558490/
- https://pixabay.com/es/vectors/acoso-lugar-de-trabajo-abuso-4499303/
- https://pixabay.com/es/photos/rosa-cuarzo-rose-blanco-diseño-2113084/
- https://pixabay.com/es/vectors/triste-enfermo-llorando-niño-3176411/
- https://pixabay.com/es/photos/ojo-pareja-amor-traición-deseo-3339668/
- https://pixabay.com/es/photos/corazón-sonido-amor-4172398/
- https://pixabay.com/es/photos/luz-verde-oscuridad-noche-2338020/
- https://pixabay.com/es/vectors/pies-diez-pie-1569457/
- https://pixabay.com/es/photos/aceitunas-aceite-los-alimentos-5475911/
- https://pixabay.com/es/photos/púrpura-magia-poción-3102305/
- https://pixabay.com/es/illustrations/número-7-siete-dígito-de-fondo-2084160/
- https://pixabay.com/es/photos/luz-de-las-velas-velas-celebración-1281563/
- https://pixabay.com/es/illustrations/género-símbolo-sexo-mujeres-1990154/
- https://pixabay.com/es/illustrations/género-símbolo-sexo-mujeres-1990153/
- https://pixabay.com/es/illustrations/pareja-desnuda-hombre-mujer-amor-1712151/
- https://pixabay.com/es/illustrations/plan-de-viaje-mapa-negocio-equipo-4172283/
- https://pixabay.com/es/vectors/seguridad-gorila-fuerte-1365599/

- https://pixabay.com/es/photos/luces-de-té-la-luz-llama-velas-1416745/
- https://pixabay.com/es/illustrations/conexión-fractal-redes-neurales-647206/
- https://pixabay.com/es/illustrations/nubes-sun-diapositiva-hombre-4058674/
- https://pixabay.com/es/illustrations/la-cara-alma-la-cabeza-humo-la-luz-622904/
- https://pixabay.com/es/photos/vientre-cuerpo-calorías-dieta-2354/
- https://pixabay.com/es/photos/escote-dekoltee-ipad-almohadilla-1688448/
- https://pixabay.com/es/photos/chica-cabello-mente-movimiento-2168357/
- https://pixabay.com/es/photos/chipre-ayia-napa-mundo-del-agua-1183226/
- https://pixabay.com/es/vectors/cranium-la-cabeza-humana-masculina-3199408/
- https://pixabay.com/es/photos/druida-hadas-magia-3442618/
- https://pixabay.com/es/photos/naturales-curación-piedras-preciosas-3371814/
- https://pixabay.com/es/photos/fantasía-espíritu-pesadilla-sueño-2847724/
- https://pixabay.com/es/photos/fuego-llamas-hoguera-fogata-leña-602218/
- https://pixabay.com/es/photos/fantasía-gitana-prado-chica-4870378/
- https://pixabay.com/es/photos/mano-blanco-y-negro-luz-vela-4564118/
- https://pixabay.com/es/photos/graves-escultura-piedra-figura-3775462/

- https://pixabay.com/es/photos/por-escrito-escribir-1209121/
- https://pixabay.com/es/photos/mujer-fantasía-mágico-niña-cara-6063652/
- https://pixabay.com/es/illustrations/víspera-de-todos-los-santos-2904353//
- https://pixabay.com/es/photos/miel-dulce-jarabe-orgánico-dorado-2925033/
- https://pixabay.com/es/photos/hoja-de-menta-menta-saludable-beber-5000530/
- https://pixabay.com/es/photos/runa-runas-rúnica-piedras-arcilla-72070/
- https://pixabay.com/es/photos/humano-jóvenes-rostro-joven-hombre-2136095/
- https://pixabay.com/es/photos/gota-de-agua-caída-impacto-578897/
- https://pixabay.com/es/photos/pared-pared-vieja-viejo-iglesia-3642928/
- https://pixabay.com/es/photos/petróleo-vial-vidrio-caléndula-4369051/
- https://pixabay.com/es/illustrations/escaramujo-rosa-salvaje-cadera-5473284/
- https://pixabay.com/es/illustrations/magnolias-flores-6219420/
- https://pixabay.com/es/photos/árbol-fruto-mesquitillos-mezquite-5359792/
- https://pixabay.com/es/photos/romero-aislados-hierbas-verde-2081980/
- https://pixabay.com/es/photos/trébol-tréboles-irlandesa-día-445255/

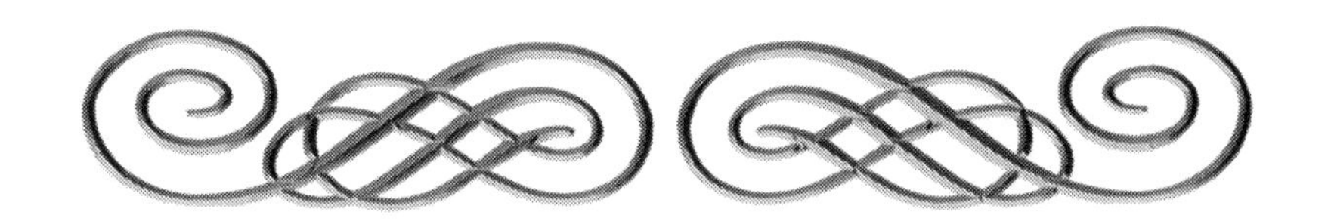

Agradecimientos

En este segundo libro, y al formar parte del mismo proceso que el primero (hijos de un mismo parto), debo agradecer a las mismas personas (familia y amigos en especial), esas que aguantaron, apoyaron, con palabras, con consejos y paciencia a raudales. Paciencia y apoyo que espero que no se acabe nunca, ya que es mi pilar más importante, y aún me quedan cosas que ofrecer.
Gracias otra vez al tiempo, que hace que todo al final llegue a su destino, a veces despacio, a veces más rápido pero llegando siempre.
En definitiva, gracias a las personas, y la combinación de tiempo y paciencia que logra objetivos; por muy lejanos que los veamos…

Made in the USA
Las Vegas, NV
03 January 2024